Verlag BONN AKTUELL GmbH
November 1975
Herausgeber und Redaktion: Dr. Alois Rummel,
5300 Bonn
Umschlagentwurf: Heiko Rogge, 7506 Bad Herrenalb
Gemälde und Porträtskizze: Ernst Günter Hansing
Gesamtherstellung: Süddeutsche Verlagsanstalt und
Druckerei GmbH, 7140 Ludwigsburg
© Verlag BONN AKTUELL GmbH, 7000 Stuttgart 31
Printed in the
Federal Republic of Germany

Gemälde von Ernst Günter Hansing
(1963)

Terence Prittie
Horst Osterheld
François Seydoux

Konrad Adenauer

1876/1976

VERLAG BONN AKTUELL GMBH · STUTTGART

Inhalt

Vorwort

Die Autoren des vorliegenden Buches kannten Konrad Adenauer in seinen ersten, seinen besten und seinen letzten Zeiten. Jeder von ihnen hat den politischen Weg des ersten deutschen Kanzlers aus seiner Perspektive, also aus dem Gesichtswinkel des Diplomaten (François Seydoux), des politischen Korrespondenten (Terence Prittie) und des politischen Beamten (Horst Osterheld) beobachtet und, jeder auf seine Weise und mit seinen Mitteln, beeinflußt.

So fiel in die Botschafterzeit François Seydoux' das intensive Bemühen von General de Gaulle und Konrad Adenauer um die europäische Einigung. François Seydoux nahm in seiner Eigenschaft als französischer Botschafter an Dutzenden von Europakonferenzen teil, wo er im Auftrag von General de Gaulle zusammen mit dem deutschen Kanzler nach Mitteln und Wegen suchte, um die europäischen Staaten zu einigen. Seydoux hat mit Konrad Adenauer viele Gespräche unter vier Augen geführt. Als Repräsentant Frankreichs kannte er de Gaulles letzte Gedanken über Europa und als ehrlicher Makler zwischen Paris und Bonn, als ständiger Gesprächspartner von Konrad Adenauer, war er bestens über des deutschen Kanzlers Europaideen informiert. Es ist kein Zufall, daß Seydoux zweimal (dies auf ausdrücklichen eigenen Wunsch) zum französischen Botschafter in Bonn berufen worden ist. Während der Berlinkrise im

November 1958 gehörte er zu *den* westlichen Botschaftern, die mit besonderer Leidenschaft für die Sicherung Berlins gekämpft haben. François Seydoux hatte immer ein besonderes Verhältnis zu Deutschland. Dies nicht nur, weil er in Berlin geboren wurde. Verbesserung und Stabilisierung des deutsch-französischen Verhältnisses und die Begründung einer deutsch-französischen Freundschaft gehörten zu seinen großen Aufgaben als Diplomat. Er hat Konrad Adenauers beste Zeit als Regierungschef aus nächster Nähe miterlebt. Seine wiederholt geäußerte persönliche Hochachtung für Konrad Adenauer macht ihn zu einem besonders geeigneten Interpreten der Adenauerschen Europapolitik und der Darstellung des freundschaftlichen Verhältnisses zwischen Frankreich und Deutschland.

Horst Osterheld gehört zu den politischen Beamten, die den persönlichen und politischen Lebensweg Konrad Adenauers fast ein Jahrzehnt lang aus nächster Nähe mit verfolgt und beeinflußt haben. Von 1960 bis 1963 leitete er das außenpolitische Büro im Bundeskanzleramt. Bis zum Tod Konrad Adenauers war er dessen enger Vertrauter. Es gab kein Gespräch mit ausländischen Staatsmännern, an dem Horst Osterheld nicht teilgenommen hätte. Er hat u. a. die großen Besuche Adenauers in Frankreich (1962) und de Gaulles in der Bundesrepublik Deutschland (1964) vorbereitet. Das gleiche gilt für den Besuch des damaligen amerikanischen Präsidenten John F. Kennedy in der Bundesrepublik Deutschland und Westberlin (Juni 1963). Er hat an dem Gespräch teilgenommen, das Konrad Adenauer im Juni 1962 mit dem sowjetrussischen Botschafter Smirnow geführt hat, wo Adenauer den Sowjetrussen einen zehnjährigen Burgfrieden angeboten hatte. Es gibt nur wenige politische Beamte, die soviel direkten Einfluß auf Konrad Adenauer genommen haben wie Horst Osterheld. Er hat viele Briefe und Reden Adenauers entworfen oder redigiert, so daß ein Beitrag aus seiner Feder über Konrad Adenauer besonderes Gewicht erhält.

Terence Prittie gehört zu den besten Deutschlandkennern aus dem Kreis ausländischer Korrespondenten. Bereits 1933 war er als Student in Deutschland. Von 1936 bis 1937 studierte er in München und von Juni 1940 bis 1945 war er als Kriegsgefangener erneut in Deutschland. Für fünf Fluchtversuche aus der Gefangenschaft erhielt er die Auszeichnung M.B.E. (Military Medal of the British Empire). In den Jahren von 1946 bis 1973 fungierte er zunächst als Berliner, dann als Bonner Korrespondent des „Manchester Guardian". Mit seinem im Jahre 1971 erschienenen Buch über Konrad Adenauer hat er dessen politischen Weg von Anfang bis zum Ende nachgezeichnet. Er hat die ganze „Ära Adenauer" bis auf die letzten vier Monate miterlebt. Terence Prittie war es, der als Auslandskorrespondent das erste Interview von Konrad Adenauer bekam, das er noch als Kölner Oberbürgermeister und dann als Bundeskanzler der Bundesrepublik Deutschland gegeben hat. Beide Interviews fanden weltweites Interesse.

Nach Meinung von Terence Prittie handelte Adenauer wie ein geschickter Anleger eines Kapitals. Er (Adenauer) steuerte nicht zu viele Ziele an und verzettelte seine Absichten nicht in zu vielen Ideen. Nach der Meinung Pritties blieb er immer im Rahmen seiner Möglichkeiten und war er sich seiner Grenzen bewußt. Prittie zitiert Georges Bernanos, wonach „die höchste Form der Hoffnung die überwundene Verzweiflung" sei. Adenauer überwand die Verzweiflung der Naziära und des verbrecherischen Krieges, von dem er immer gewußt habe, daß sein Land ihn verlieren werde. Terence Prittie weist Konrad Adenauer in der deutschen und in der europäischen Geschichte einen unverwechselbaren Platz zu, gleichgültig was heute oder in Zukunft geschehen mag. Er schließt sein Buch mit der Formulierung: „Das alte Deutschland wird vielleicht niemals wieder erstehen; aber Adenauer, das steht fest, war der wichtigste Baumeister des neuen." Terence Prittie leistet mit seinem jetzt vorliegenden Beitrag wichtige zusätzliche Analysen zur Bedeutung der Persönlichkeit Konrad Adenauers in vier Epochen deutscher Geschichte.

Bonn, im November 1975   *Alois Rummel*

Terence Prittie

Der Staatsmann

Geschichtliche Perspektiven

Das Allererstaunlichste an Konrad Adenauers Karrie-
re als Beamter, Politiker und Staatsmann war wohl ihre
schiere Länge. Er erreichte das ehrwürdige Alter von 91
Jahren. 1906 trat er mit 30 Jahren in den öffentlichen
Dienst und war 60 Jahre später als Vorsitzender der
Christlich-Demokratischen Union immer noch politisch
tätig. In den letzten hundert Jahren waren es nur zwei
Staatsmänner, die auch nur annähernd so lange im
Rampenlicht der Öffentlichkeit gestanden haben; beide
waren Engländer: William Gladstone und Winston
Churchill.

Adenauers Karriere umfaßt vier verschiedene
Epochen der deutschen Geschichte. Zuerst das Kaiserreich, das aus dem Krieg zwischen Preußen und Frankreich 1870/71 hervorgegangen war. In jener Zeit wurde
Deutschland ständig reicher und mächtiger. Das
deutsche Heer war das beste in der Welt, die deutsche
Flotte rivalisierte mit der britischen und war ihr in
einigen Bereichen sogar überlegen — wie zum Beispiel
in der Geschützkunst und im Signalwesen. Deutschlands
Wohlstand war das Ergebnis der industriellen Revolution, die sehr viel später als beispielsweise in England
einsetzte und daher von anderen Ländern gemachte
Fehler vermeiden konnte. Die wirtschaftliche Leistungsfähigkeit und die militärische Stärke hingen beide bis zu
einem gewissen Grade von einer dem ganzen Volk

eigenen Disziplin ab. Man hat, nicht sonderlich geistreich, gesagt, daß die Deutschen „leben, um zu arbeiten" — wohingegen andere Nationen „arbeiten, um zu leben" — und daß die Deutschen in einer entscheidenden Periode ihrer Geschichte einen patriotischen Eifer entwickelten, der sie sehr tapfer auf dem Schlachtfeld sterben ließ. Das sind Verallgemeinerungen und folglich sind sie suspekt. Aber die Größe des Kaiserreiches erwies sich beispielhaft an der Bereitschaft seiner Bürger, ob Arbeiter oder Soldaten, einen eigenen Beitrag für das Ganze zu leisten. Das taten sie, mit bemerkenswert gutem Willen, aber mit einem bisweilen vielleicht künstlichen Selbstvertrauen; unter ihrem Auftreten, das anderen Europäern herausfordernd oder sogar arrogant erschien, verbarg sich Unsicherheit. Der Deutsche des Kaiserreichs hatte oft das deprimierende Gefühl, nicht richtig geachtet zu werden. Dieser Gedanke quälte ihn.

Die zweite Epoche deutscher Geschichte, die Adenauers Karriere umfaßt, war die der Weimarer Republik, äußerlich gesehen eine katastrophale Episode. Ausländer haben nur selten die Belastungen verstanden, die den Deutschen in diesen Jahren zugemutet wurden. Eine große Nation war durch eine Niederlage gedemütigt und durch sie der Gnade der westlichen Alliierten ausgeliefert. Dennoch akzeptierte paradoxerweise die Mehrheit des deutschen Volkes niemals die Tatsache, daß Deutschland auf den Schlachtfeldern geschlagen worden war, und folglich mußten die Deutschen den harten Friedensvertrag für ebenso ungerecht wie unannehmbar halten. Unter diesen Umständen schien es vielen Deutschen nahezu unmöglich, sich mit der „Erfüllung" des als allgemein unpopulär geltenden Versailler Vertrages abzufinden. Es war ein verhängnisvolles Unglück für Deutschland, daß der erste Versuch mit einer echten

12

Demokratie sich in den Köpfen der Deutschen mit der Notwendigkeit verband, eine Niederlage zu akzeptieren. Die demokratischen Politiker der Weimarer Republik waren „Erfüllungspolitiker"; folglich lag es nahe, daß man sie so bald wie möglich ausschalten würde. Sie hatten gegen politische und wirtschaftliche Anarchie zu kämpfen, die durch das verletzte Rechtsgefühl und einen verzehrenden Haß auf alles Fremde hervorgerufen wurde. Das einzige, was die Weimarer Republik und ihre im Entstehen begriffene Demokratie hätte retten können, wäre das Wachsen einer europäischen Solidarität und der „europäischen Idee" gewesen. Aber das Europa von 1919 bis 1933 fühlte sich noch viel zu mächtig, als daß es sich um die Beilegung interner Streitigkeiten gekümmert hätte; man interessierte sich erstaunlich wenig für die Vorgänge in Deutschland — kommunistische Aufstände, örtliche Revolutionen, militärische Putsche, separatistische Bewegungen, Wirtschafts- und Währungskrisen, Hunger und Arbeitslosigkeit. Man sah all dies bequemerweise als Folgen eines Weltkrieges an, den der säbelrasselnde „Allerhöchste", Kaiser Wilhelm II., und seine Gehilfen verursacht hatten. Die deutsche Kriegsschuld schien hinreichenden Grund zu bieten, sich keine Sorgen über die Zukunft des deutschen Volkes machen zu müssen.

Die Ursachen für den Anbruch der Nazizeit, der dritten klar umrissenen Geschichtsepoche in Adenauers Leben, sind zu gut bekannt, als daß sie hier einer eingehenden Analyse bedürften. Aber einem ausländischen Beobachter wie mir scheinen, zumindest im Rückblick, die psychologischen Ursachen noch wichtiger als die materiellen gewesen zu sein. Selbstverständlich begünstigte die Wirtschaftskrise den politischen Extremismus. Selbstverständlich führten die Interessen bestimmter Gruppen zu einer Vielzahl von politischen

Parteien und zu dem allmählichen Zusammenbruch des unsicheren politischen Gleichgewichts, von dem das Überleben der Weimarer Republik abhing. Auch ist es richtig, daß die „Versailler Mächte" erst sehr spät Konzessionen machten, die dann allerdings nicht sehr bedeutend waren. Aber es bleibt eine Tatsache, daß eine große Zahl normaler, nüchterner, fleißiger deutscher Bürger bereit war, die Nazipartei wenigstens einen „Probelauf" machen zu lassen; denn sie wünschten die Wiederherstellung des guten deutschen Namens ebenso wie die Wiederherstellung einer festen, ordentlichen Regierung. Einer von Hitlers Gegnern, Fabian von Schlabrendorff, hat geschrieben, eine „Kombination von Terror und Gewohnheit" habe das deutsche Volk das Naziregime anscheinend so gefügig annehmen lassen. Aber dazu ist noch mehr zu sagen: obwohl die meisten Deutschen 1933 nicht bereit waren, die Nazis zu unterstützen, war eine sehr große Mehrheit auch nicht bereit und darauf vorbereitet, gegen sie zu opponieren. Ihre Argumentation war begreiflich: da die Weimarer Politiker versagt zu haben schienen, konnte man einer alternativen Regierungsform eine Chance geben. Daß der Mann an der Spitze dieser Regierung ein Mensch von diabolischer Dynamik und ebensolchem Charme war, trat nicht unmittelbar zutage.

Damit sind wir bei der letzten Periode der deutschen Geschichte in Adenauers Leben angelangt, den Jahren nach 1945. Dieses Mal war die Niederlage total. 1919 waren die Truppen der Alliierten in einen relativ schmalen Streifen des deutschen Staatsgebiets einmarschiert, in das Rheinland, und zwar auf Grund eines Abkommens mit der deutschen Regierung, deren eigene Truppen genau zum gleichen Zeitpunkt dort abzogen, diszipliniert und anscheinend ungeschlagen. 1945 besetzten die alliierten Truppen jeden Quadratmeter Bo-

14

den des Reichs, und nicht ein einziger deutscher Soldat behielt seine Waffe in der Hand. Preußen, das Herz des Deutschland von 1870 bis 1945, hörte auf zu bestehen. Das deutsche Volk wurde durch einen Eisernen Vorhang in zwei Teile gespalten, der zwischen zwei Weltmachtblöcken verlief. Diese waren sich in nur einer einzigen Zielsetzung einig — das Wiederauferstehen eines mächtigen und vereinten deutschen Staates zu verhindern. Der Kontrast zwischen dem Kaiserreich, in dem Adenauer aufgewachsen war, und dem Deutschland nach 1945 war geistig noch stärker ausgeprägt als in materieller Hinsicht. Ein Volk, das an seine Stärke und Bestimmung geglaubt hatte, wußte nicht mehr, woran es überhaupt noch glauben sollte. 1919 hatte es sich mit dem Versagen seiner Führung auseinanderzusetzen; 1945 sah es sich mit deren erschreckenden Verbrechen konfrontiert. 1919 wurde es wie ein Feind behandelt, 1945 wie ein Ausgestoßener.

Adenauer war 43 Jahre alt, als das Kaiserreich unterging, ein Alter, in dem die meisten Männer sich in Beruf und Lebensumständen eingerichtet haben. Es kommt nicht oft vor, daß ein Kommunalpolitiker in diesem Alter in die nationale Politik überwechselt. 1933 war er 57 Jahre alt. Viele Männer denken in diesem Alter an ihre Pensionierung und kümmern sich mehr um ihre Rentenansprüche als um die Angelegenheiten ihres Landes. 1945 war Adenauer fast 70. Dennoch lag seine gesamte politische Karriere noch vor ihm. Darin liegt die einzigartige Faszination seiner Lebensgeschichte. Die anderen Europäer, die es am längsten in der politischen Arena ausgehalten haben, sind Männer, die früh mit der Politik begannen, ihre Schwierigkeiten meisterten und ihre Rivalen überdauerten. Adenauers politische Begabung wurde wie ein Schatz gehütet, so lange, daß es für ihre Verwendung bei weitem zu spät erschien. Seine

15

Leistung läßt sich mit der eines Fußballers oder Tennis-spielers vergleichen, der erst mit 40 aktiv wird. Natürlich hat es einen solchen Fußballer oder Tennisspieler nie gegeben, wohl aber so einen Staatsmann: Adenauer.

Noch einmal zurück also zu dem Adenauer des Kaiserreichs, wenn auch nur kurz; obwohl es eine für ihn prägende Zeit in seinem Leben war, ist nur wenig über ihn zu sagen. Er erlernte ein Handwerk, die Kommunal-politik, und erlangte 1917 mit seiner Wahl zum Oberbür-germeister von Köln die höchste kommunale Würde. Er heiratete und zog eine Familie groß. Er überwand wenigstens bis zu einem gewissen Grad seine schwache Konstitution und überlebte einen Zusammenstoß in seinem Auto, der seinem Leben sehr wohl ein Ende hätte bereiten können. Die Bedeutung dieses Lebensab-schnitts für seinen späteren Erfolg als Staatsmann liegt darin, daß er das politische Handwerk erlernte. Er wurde tatsächlich eine Art Alleinherrscher – zugegebenerma-ßen nur der Stadt Köln – aber das vermittelte ihm Einblick in die Leistungsfähigkeit einer guten Verwal-tung, die verschiedenen Bedürfnisse des Bürgers, das Denken der Menschen. Er erlernte die Tugenden der Pünktlichkeit, der Ordnung, der Geduld, der Beharrlich-keit, ja sogar der Entspannung. Er entwickelte einen

Seite 17 oben:
Konrad Adenauer mit dem 2. Reichspräsidenten Paul von Hindenburg bei der Rheinlandbefreiung 1926.

Seite 17 unten:
Hier mit Friedrich Ebert, dem 1. Reichspräsidenten der Weimarer Republik.

16

Lebensstil, für den eine Kardinaltugend bezeichnend war: nichts zu übertreiben. Seine Selbstdisziplin ermöglichte es ihm, mit weniger Anstrengung länger zu arbeiten als andere, einzigartige Konzentrationskräfte zu entwickeln, sich auf die selbst gesteckten Ziele zu sammeln. Er entwickelte mit der Zeit eine römische Klarheit des Denkens und ein Gefühl für die Angemessenheit der Mittel: die wichtigsten Eigenschaften des erfolgreichen Verwaltungsbeamten

Der Beginn der Weimarer Epoche sah ihn wohlvorbereitet auf einen Wechsel in das größere Feld der nationalen Politik. Er beschloß indessen, seine Position im kommunalen Bereich zu festigen. 16 Jahre lang blieb er Oberbürgermeister von Köln; 1921 wurde er Präsident des Preußischen Staatsrats und Mitglied des Städtetages. Zweimal hätte man ihn tatsächlich fast in die Arena der Reichspolitik gelockt. Im Mai 1921 trat der Reichsarbeitsminister, Heinrich Brauns, mit dem Vorschlag an ihn heran, als Kandidat des Zentrums eine neue Reichsregierung zu bilden. Der Vorschlag wurde hinfäl-

Seite 18 oben:
Der Deutsche Bundestag wählt am 15. September 1949 Konrad Adenauer zum ersten Bundeskanzler der Bundesrepublik Deutschland. Vor Bundestagspräsident Erich Köhler leistet Adenauer den Eid.

Seite 18 unten:
Am 23. Mai 1949 verkündet Konrad Adenauer das Grundgesetz im Parlamentarischen Rat. Von links nach rechts: Helene Weber, Hermann Rudolph Schäfer, Konrad Adenauer, Adolph Schönfelder, Jean Stock.

19

lig, als die Sozialdemokraten beschlossen, ihrerseits das Amt des Kanzlers zu beanspruchen. Im Mai 1926 wurde er nochmals von führenden Mitgliedern der Zentrumspartei aufgefordert, sich als Kanzlerkandidat zur Verfügung zu stellen. Dreitägige Gespräche in Berlin überzeugten ihn davon, daß es ihm nicht gelingen würde, eine Koalition auf breiter Grundlage zu bilden, die allein vermocht hätte, die ins Wanken geratene Weimarer Republik zu stützen.

Es ist seither behauptet worden, Adenauer sei vielleicht der einzige Mann gewesen, der die Weimarer Republik hätte retten können. Sicherlich war dafür 1926 noch Zeit. Aber er hätte von einer kleinen Hausmacht aus operieren müssen, dem Katholischen Zentrum; es wäre ihm wahrscheinlich nie gelungen, genügend Unterstützung außerhalb der Reihen seiner Partei zu finden. Selbst wenn er eine Regierung gebildet hätte, hätte sie vermutlich nicht lange bestanden; er wäre nur ein weiterer „gescheiterter Politiker" der Weimarer Republik geworden und hätte sich damit den unmittelbaren Argwohn zukünftiger Generationen von Deutschen zugezogen. Was 1926 als Mangel an Ehrgeiz angesehen wurde, war vielleicht nichts weiter als berechtigte Vorsicht.

Er blieb der ungekrönte „König" von Köln, bis ihn die Nationalsozialisten 1933 absetzten. Was anfänglich nur offizielle Ungnade war, wuchs sich zu einer manchmal offenen, manchmal verschleierten Verfolgung seiner Person aus. Nach der Vertreibung aus seinem geliebten Köln schien Adenauer den traurigen Tiefpunkt seiner Karriere erreicht zu haben. Doch nicht zuletzt seine Erfahrungen halfen ihm, unter dem Druck einen Charakter auszuformen, der bereits von Widerstandskraft und Entschlossenheit geprägt war. Seine Fähigkeit, den Drohungen der Nazis standzuhalten, gleichzeitig seine

20

Familie zu versorgen und niemals seine Skrupel zu verdrängen und seine Überzeugungen zu opfern, kennzeichnen ihn — vielleicht mehr als alle seine Taten für die Stadt Köln — als einen großen Mann. Die Not lehrte ihn Verständnis für die Schwächen vieler seiner Landsleute und weckte in ihm ein natürliches patriarchalisches Gefühl. Es bereitete ihn darauf vor, sein Volk aus der Versklavung zu führen, aus einer Knechtschaft, die den Unterdrückten so endlos schien, wie die Fron, aus der Moses sein Volk aus Ägypten führte.

Man sollte sich daran erinnern, daß der Adenauer des Jahres 1945 von außen betrachtet immer noch wenig für die Rolle geeignet schien, die er spielen sollte. Er stand nicht nur in seinem siebzigsten Lebensjahr, sondern hatte zudem keinerlei parteipolitische Erfahrung, war außerhalb seines eigenen Landes vollkommen unbekannt und wenig über seine Grenzen hinausgekommen — obwohl das Bild von Adenauer als dem Provinzler etwas überzeichnet worden ist. Nachdem er von den siegreichen Amerikanern wieder als Bürgermeister in Köln eingesetzt worden war, hätte er dort gut für den Rest seines beruflichen Lebens verbleiben können — hätten ihn die Engländer, die die Amerikaner als Besatzungsmacht ablösten, nicht aus dem Amt entlassen. Zufällig und ganz unabsichtlich wurde er in die Parteipolitik gestoßen. Den Erfolg auf seinem Weg hatte er vor allem den folgenden vier Vorzügen seines Charakters zu verdanken. Die Widerstände hatten seinen früher unbeugsamen Willen gemäßigt, so daß er geschmeidiger war und seine herausragende Stärke weniger offensichtlich. Dank der römischen Klarheit und Logik, die ihn schon immer ausgezeichnet hatten, setzte er sich erreichbare Ziele, fast immer die richtigen. Das Leid hatte seinen Charakter zudem abgerundet und seinem Auftreten eine Eleganz verliehen, die ungemein überzeugend wirkte. Und seine Selbstdisziplin ließ ihn eine wirklich bemerkenswerte Geduld und Zielstrebigkeit an den Tag legen.

Auch kam ihm zu Hilfe, daß, wie ein Sprichwort sagt, der „Einäugige unter den Blinden König" ist. Unter den Nachkriegspolitikern der zukünftigen Bundesrepublik Deutschland war Adenauer ein Riese unter Zwergen. Sein offenkundigster Rivale in der Christlich-Demokratischen Union war — nachdem diese Partei in den ersten zwei Nachkriegsjahren Gestalt angenommen hatte – Jakob Kaiser. Aber der verlor jede Aussicht auf Führung der westdeutschen CDU, als die Spaltung Deutschlands täglich endgültigere Formen annahm, der Eiserne Vorhang quer durch Deutschland immer undurchdringlicher wurde und als Kaisers eigener Traum, eine vereinigte gesamtdeutsche Partei als Hüterin der deutschen Einheit aufrechtzuerhalten, bereits zum Scheitern verurteilt war. Außerhalb der CDU waren alle Augen auf den Führer der Sozialdemokratischen Partei, Kurt Schumacher, gerichtet. Aber dieser tapfere und unbezwingliche Verteidiger der deutschen Demokratie hatte zu bitter unter den Nationalsozialisten gelitten, als daß er mit der notwendigen Hartnäckigkeit und dem erforderlichen politischen Instinkt um eine führende Position in Westdeutschland hätte kämpfen können. Schumacher, ein ebenso autoritärer Parteiführer wie Adenauer selbst, stützte sich auf eine Kerngruppe von Sozialisten der „Alten Garde" und unternahm nichts, um den Aufstieg von jüngeren Leuten aus den Reihen seiner Partei zu beschleunigen. Die SPD sollte von den ersten Bundestagswahlen im Jahre 1949 bis zum Jahre 1960, als Willy Brandt die Kanzlerkandidatur für sich erzwang, keine Herausforderung bieten.

Ansonsten gab es keine hervorragenden Persönlichkeiten in den politischen Parteien, die sich 1949 am

22

Wahlkampf beteiligten. Die Freie Demokratische Partei hatte nur Thomas Dehler zu bieten, einen feurigen, aber exzentrischen Redner, und natürlich Theodor Heuss, dessen Toleranz, dessen professoraler Habitus samt der Gabe zur Prägung von Aphorismen ihn auf den Weg zum Amt des Bundespräsidenten führen sollten. Die anderen politischen Parteien waren zu klein, um Politiker von Format anzuziehen. Adenauers beherrschende Stellung war wenigstens zum Teil die Folge eines Mangels an Konkurrenten. Aber sie beruhte auch auf seiner Würde, seiner Zurückhaltung und seiner Führungskraft. Alle seine Vorzüge zusammengenommen ergaben das, was am schwierigsten zu definieren ist: eine Persönlichkeit.

Nachdem er 1949 zum Kanzler gewählt wurde, sollte Adenauer dieses Amt etwas länger als 14 Jahre innehaben. Er wurde drei Mal wiedergewählt, 1953, 1957 und 1961. Niemand würde behaupten wollen, daß seine beiden letzten Jahre im Amt anders als unglücklich waren und im Vergleich zu den vorausgegangenen eine Art Antiklimax bildeten. Viele würden eine Zäsur in seiner Amtszeit sehen, etwa im Jahr 1959, als er mit der

23

Idee zu spielen begann, sich um das Amt des Bundespräsidenten zu bewerben und etwas Ähnliches wie die „Präsidialdemokratie" General de Gaulles in Frankreich zu schaffen. Einige würden vielleicht sagen, daß seine erste Amtszeit von 1949 bis 1953 seine bedeutendste war, als er die Bundesrepublik Deutschland aus der Isolierung heraus und zurück in die europäische Völkergemeinschaft führte. Sein Erfolg in diesen vier Jahren war aufsehenerregender als alles darauf Folgende, weil er so unerwartet und so schnell kam.

Der Erfolg war vor allem Adenauers Geschichtsverständnis zu danken. Er hatte so viele Jahre erlebt, die für Deutschland Jahre der Größe waren und dennoch so verhängnisvoll, vor allem in den auswärtigen Beziehungen. Warum? Hierzu einige Gedanken.

Der Sturz Otto von Bismarcks im Jahr 1890, die „Entlassung des Lotsen", das Thema einer berühmten Karikatur, war eine Wende. Bismarcks Diplomatie ging davon aus, daß Deutschland, in der Mitte Europas gelegen, immer starke und beständige Verbündete brauchte. Sein 1863 mit Rußland geschlossener Vertrag schützte Preußens Ostgrenze. Er entzweite Frankreich und Österreich, indem er ihre Rivalität in Italien schürte. Er verhinderte eine Annäherung zwischen Frankreich und England, indem er den Argwohn Englands gegenüber den französischen Absichten in Belgien weckte. Wenn er in den Krieg zog, stellte er jedes Mal sicher, daß Preußen in Europa wenigstens einen großen Verbündeten hatte und daß zwei andere wichtige Mächte neutral waren. Er hatte nicht die Absicht, die diplomatischen Unterlassungssünden von Friedrich dem Großen zu wiederholen.

Bismarcks Kriege gegen Dänemark, Österreich und Frankreich waren glänzende Demonstrationen von Realpolitik und militärischem Können. Bismarcks Nachfolger waren unfähige Diplomaten. Leo von Caprivi wünschte dringend ein Bündnis mit Frankreich und England, unternahm aber nichts. Fürst von Hohenlohe, der früher Statthalter in Elsaß-Lothringen gewesen war, war besessen von der Furcht vor dem französischen Streben nach „Revanche". Dennoch tat er nichts, um die sich anbahnende „Entente" zwischen Frankreich und England zu stören, und sah hilflos zu, wie der Kaiser seinen Onkel, den zukünftigen König Edward VII., maßregelte, über die wachsende Stärke seiner Flotte prahlte, britische Staatsmänner mit seinen Plänen einer Eisenbahn von Berlin nach Bagdad erschreckte und Präsident Oom Krüger aus Transvaal ein Glückwunsch-telegramm schickte, als dieser die „Invasion" einer Gruppe unerfahrener Abenteurer zurückschlug.

Bernhard von Bülow schwankte zwischen einer Annä-herung an Rußland und England und erreichte keines von beidem. Daß während seiner Amtszeit so radikal nationalistische Vereine entstanden wie der Flottenver-ein, der Alldeutsche Verband und die Deutsche Kolo-nialgesellschaft, verstärkte das Mißtrauen gegenüber seinem Land. Gruppen dieser Art waren es, die Schreck-gespenster an die Wand malten, die unter seinem Nachfolger, Bethmann Hollweg, Gestalt annahmen – ein Großdeutschland vom Belt bis zum Schwarzen Meer, deutsche Besitzungen in Indien und Afrika und der Zusammenschluß der „kämpfenden Rassen" von Deut-schen und Türken. Das Vierteljahrhundert, welches bis zum Ersten Weltkrieg verstrich, war eine Ära gefährli-cher Tagträume. Adenauer hatte aus seiner Lektüre über diesen Teil der deutschen Geschichte sicherlich entnom-men, daß es Deutschland in der Zeit nach Bismarck überhaupt nicht gelungen war, beständige Freunde zu gewinnen.

Der Dreibund war eine kopflastige Angelegenheit,

denn das auf schwachen Füßen stehende österreichisch-ungarische Kaiserreich trat im wesentlichen nur bei, um bei seinem abenteuerlichen Vorgehen im Balkan Rükkendeckung zu haben, während Italien ausschied, sobald sich die erste Gelegenheit bot.

Die Weimarer Politiker lernten zwar aus diesen diplomatischen Fehlern, aber nicht genug. Walther Rathenaus berühmter „Coup" bei dem erfolgreichen Abschluß des Vertrages von Rapallo mit Rußland 1922 machte die Westmächte mißtrauisch. Gustav Stresemann zerstreute dieses Mißtrauen nicht völlig, denn er beobachtete die Intrigen des deutschen Generalstabs mit der Sowjetunion nicht ohne Wohlgefallen, spielte mit der Idee einer vierten Aufteilung Polens zwischen Rußland und Deutschland und erörterte die Durchführbarkeit eines russisch-deutschen „Wirtschaftsblocks", der Europa vom Ural bis zum Rhein beherrschen sollte. Was Hitler betraf, so war seine Vorstellung von Diplomatie eine Parodie der bismarckschen Realpolitik, eine düstere Scharade. Ihm ging es nicht darum, Freunde zu gewinnen, sondern Marionetten zu schaffen. Alle diese Marionetten hatten dem Nazi-Deutschland den Rücken gekehrt, noch bevor der Zweite Weltkrieg zu Ende war.

Ich glaube, daß Adenauer von der Notwendigkeit, dem deutschen Volk wahre Freunde zu gewinnen, längst überzeugt war, bevor er Bundeskanzler wurde. Jedenfalls bewegte er sich ohne Umschweife auf dieses Ziel zu, nachdem er erst einmal im Amt war. Wie jeder gute General entwickelte er eine Strategie paralleler, aufeinander bezogener Züge. Er machte sich daran, die Bundesrepublik Deutschland zu einem integralen Bestandteil des Gebildes zu machen, das auf Grund der Umstände ungefähr dem Europa Karls des Großen entsprach. Dies hieß, die Freundschaft aller west-europäischen Länder einschließlich derjenigen Personen zu gewinnen, die Macht und Verantwortung in Deutschland, Frankreich und Großbritannien besaßen. Er unternahm es gleichzeitig, die volle Souveränität für die Bundesrepublik Deutschland zurückzugewinnen; das trug ihm diplomatische Auseinandersetzungen mit Frankreich und Großbritannien ein, die jedoch durchgestanden werden mußten. Und er war entschlossen, die Vereinigten Staaten und Frankreich zu besonders guten Freunden zu machen.

In diesem letzten Punkt handelte er sich Kritik ein, weil man ihm unterstellte, er wolle nach dem Grundsatz „divide et impera" Großbritannien von den anderen beiden westlichen Besatzungsmächten trennen. Ich glaube nicht, daß er das im Sinn hatte. Viel eher wählte er die Vereinigten Staaten, weil sie die größte Weltmacht und das Bollwerk des westlichen Bündnisses waren, und wandte sich Frankreich zu, weil die deutsch-französische Rivalität die Hauptursache für die Kriege von 1870, 1914 und 1939 gewesen war und weil die deutsch-französische Versöhnung eine Vorbedingung für den zukünftigen „inneren" Frieden dieses karolingischen Reiches sein würde. Nicht nur der Frieden dieses karolingischen Europa stand auf dem Spiel; es ergab sich außerdem die Frage seiner zukünftigen Einheit. Frankreich war dabei ein notwendiger Bestandteil, aber galt das auch für Großbritannien? In seiner Rede in Zürich im September 1946 hatte Winston Churchill zur Schaffung der „Vereinigten Staaten von Europa" aufgerufen. Wie so oft, war er seiner Zeit voraus. Aber diese Rede rief in England besonders wenig Begeisterung hervor, und zudem war er ja ohnehin nicht mehr an der Macht. In Whitehall und in Westminster saß eine kurzsichtige, in den Grenzen eines „Kleinengland" denkende Labour-Regierung, die vorrangig mit Angelegenheiten des Commonwealth und sozialen Reformen im eigenen Land beschäftigt war.

Männer wie Attlee, Morrison und Bevan hatten fast gar nichts zu Europa zu sagen und wußten wenig, um nicht zu sagen nichts, von dem obskuren und weitentfernten „Kontinent". 1945 fiel Großbritannien ebenso in seine insulare Philosophie zurück wie sich die Vereinigten Staaten 1919 wieder dem Isolationismus zugewandt hatten.

Eines Tages wird zweifellos ein Buch über „Adenauer und die Briten" geschrieben werden — es ließe sich viel sagen, was das Bild eines konsequent „anti-britischen" Bundeskanzlers ändern würde. Aber dieses Bild gründet doch zum Teil auf Tatsachen und hilft vielleicht eine Erklärung dafür zu finden, warum Adenauer bereit war, Frankreich über das Maß dessen hinaus zu unterstützen, was man als vernünftig hätte ansehen können, und zwar zum Nachteil der britischen Interessen. (Allerdings: Adenauer hatte bereits 1919 sehr offen über die Notwendigkeit einer deutsch-französischen Aussöhnung gesprochen.) Adenauer hatte 1919 Reibereien mit den britischen Besatzungsbehörden im Rheinland, wenn er auch mit dem britischen Stadtkommandanten, General George Sidney Clive, gute persönliche Beziehungen entwickeln konnte. Er wurde 1945 von den Briten aus dem Amt des Oberbürgermeisters von Köln entlassen — was er nicht verdient hatte. In einem Interview, welches er mir (als Korrespondent des „Manchester Guardian") 1949 gab, sagte er folgendes:

„Ich würde mich freuen, wenn die britische Regierung und das britische Volk die Tatsache akzeptierten, daß England eine europäische Macht ist und folglich verpflichtet ist, seine Rolle bei der europäischen Entwicklung zu spielen."

So weit so gut; niemand konnte derartige Gefühle als „antibritisch" bezeichnen, wenn auch Adenauers Worte einen mahnenden, sogar schulmeisterlichen Klang hatten. Aber seine nächste Äußerung über Großbritannien in diesem Interview war sehr viel weniger glücklich:

„Ich muß hinzufügen, daß die britische Regierung die Sozialdemokraten in ihrer Besatzungszone offen unterstützt hat. Ihre Vertreter haben den Nordwestdeutschen Rundfunk, die Presseagenturen und die militärische Zeitung ‚Die Welt' beeinflußt, wobei diese Zeitung besondere Vergünstigungen erhalten hat und eine eindeutig sozialistische Politik betreibt."

Arnulf Baring hat in seinem Buch „Außenpolitik in Adenauers Kanzlerdemokratie" Beispiele für Adenauers krankhaften Argwohn gegenüber den Nachrichtenmedien gegeben und seine bisweilen wilden Behauptungen, daß sie aus der Rolle fielen und destruktiv seien. Folglich entsprach Adenauers Mißtrauen gegenüber der britischen Pressepolitik in den frühen Nachkriegsjahren in Deutschland einer persönlichen Einstellung. Aber dies, so in einem Interview zum Ausdruck gebracht, konnte natürlich kaum zur Verbesserung der deutschbritischen Beziehungen beitragen.

Persönliche Interviews mit Adenauer vermittelten mir einen gewissen Einblick in die Ursachen der unglücklichen Entwicklung in seinen Beziehungen zu den Briten. Ihn beunruhigte ihr Sarkasmus (eine seiner eigenen Lieblingswaffen), ihre offen geäußerte Skepsis (Adenauer war selbst skeptisch, gab aber seinen Gefühlen vorsichtig und zu einem sorgfältig gewählten Zeitpunkt Ausdruck), ihre merkwürdige Eitelkeit. Britische Diplomaten flößen Leuten von „untergeordnetem Rang" Vertrauen ein, sie zeigen sich aber nicht immer bei einflußreichen Leuten von ihrer besten Seite. Die absichtlich verschluckten Sätze, der herausfordernd arrogante Oxford-Akzent, der gewollt maskenähnliche Gesichtsausdruck — all das sind schon seit langer Zeit Ausdrucksformen der britischen Manieriertheit. Sie sind nicht bösartig, aber sie verunsichern. Merkwürdigerweise wurde Adenauer durch diese britische „Manier" irritiert, obwohl es sich dabei viel mehr um eine Gewohnheit als um eine diplomatische Waffe handelt.

In seiner ersten Amtszeit, d. h. von 1949 bis 1953, schritt Adenauer mit fast militärischer Präzision von einem Ziel zum anderen. Er gewann das Vertrauen der drei Alliierten Hochkommissare, indem er seine Bereitschaft erklärte, für die Gewährung größerer deutscher Souveränität und Unabhängigkeit Vorleistungen zu erbringen. Sein Hauptgegner, Kurt Schumacher, spielte ihm in die Hand — mit der Forderung, Deutschland solle ohne entsprechende Fortschritte auf die Wiedervereinigung und einen deutschen Friedensvertrag hin keinen nennenswerten Beitrag zur Sache der Alliierten leisten, wobei er sich außerdem in beißenden Anklagen gegen die angeblichen Fehler und das Versagen der Alliierten erging. Im Herbst 1949 erreichte Adenauer auf Grund des Petersberger Abkommens eine Einschränkung der industriellen Demontage. 1950 konnte er die Rückschläge der CDU bei den Landtagswahlen als Vorwand für die Forderung benutzen, das Besatzungsstatut durch einen Sicherheitspakt zu ersetzen. Im Dezember 1950 erhielt er hierzu auf der Brüsseler Konferenz die Zustimmung der Alliierten. Im März 1951 wurde das Besatzungsstatut abgeändert, und im gleichen Monat übernahm die Bundesrepublik Deutschland die Verantwortung für ihre auswärtigen Beziehungen, wobei Adenauer sein eigener Außenminister wurde.

Im Mai 1951 wurde die Bundesrepublik Deutschland in den Europarat aufgenommen. Im Juli beendete Großbritannien als erste europäische Großmacht den Kriegszustand mit Deutschland. Im Januar 1952 erhielt Adenauer die Zustimmung des Bundestages für den deutschen Beitritt zu der auf dem Schuman-Plan basierenden Europäischen Gemeinschaft für Kohle und Stahl. Damit war das Ende des 1949 erlassenen Ruhr-Statuts gekommen, aufgrund dessen die Alliierten besondere Kontrollen über das wichtigste Industriegebiet der Bundesrepublik Deutschland ausgeübt hatten. Zu dem Zeitpunkt waren die Verhandlungen über die sogenannten Bonner und Pariser Verträge bereits weit fortgeschritten, die der Bundesrepublik Deutschland einerseits ihre Souveränität wiedergaben und andererseits einen westdeutschen Beitrag zu einer europäischen Armee vorsahen. Im Mai 1952 drängten die Freien Demokraten energisch auf eine Überprüfung der Verträge, und Adenauer mußte all seine Überredungskraft aufbieten, um die FDP in der Regierungskoalition zu halten. Im Juni 1952 legte ein FDP-Mitglied des Bundestages, Dr. Karl Georg Pfleiderer, einen „gesamtdeutschen Plan" vor, der als Gegenleistung für die deutsche Wiedervereinigung eine militärische Neutralisierung zwischen Ost und West vorsah. Noch einmal mußte Adenauer seinen Koalitionspartnern — und auch einigen seiner eigenen Christdemokraten — Ideen ausreden, die er für so abwegig wie gefährlich hielt. Adenauers Ansicht nach war die Straße, die zur Wiedergewinnung der Souveränität führte, ebenso gerade wie schmal; jedes Abweichen von dieser Straße würde das Vertrauen der Westmächte kosten. Er setzte sich durch; als im März 1953 im Bundestag die dritte und letzte Lesung der Bonner und Pariser Verträge stattfand, stimmten nur zwei Mitglieder der Regierungskoalition gegen sie. Einer war ein CDU-Mitglied, Mathias Mehs; der andere war Dr. Pfleiderer.

Praktisch gesehen hatte Adenauer gegen Ende seiner ersten Amtszeit im September 1953 für sein Land die volle Souveränität zurückgewonnen. Das einzige noch bestehende Hindernis war die Ratifizierung des Pariser Vertrages, die sich durch die Hinhaltetaktiken und

Intrigen der französischen Abgeordnetenkammer verzögerte. Als sich Adenauer seinen Wählern jedoch zum zweiten Mal stellte, nahm man an — wie sich herausstellen sollte irrtümlicherweise —, daß die französische Ratifizierung nur noch eine Sache der Zeit sei. Adenauers großer persönlicher Erfolg wurde vom deutschen Volk honoriert: die CDU errang 244 von 487 Sitzen, d. h. 105 Sitze mehr als 1949, und damit die absolute Mehrheit. Im wesentlichen war es ein Votum für die Person Adenauers — obwohl sich auch der Wirtschaftsminister, Professor Ludwig Erhard, der wahre Architekt des westdeutschen industriellen Aufschwungs und Wohlstands, sowie das Kabinett, dessen Mitglieder unter der festen, bisweilen schwer auf ihnen lastenden Hand Adenauers gute Arbeit leisteten, verdient gemacht hatten.

Es war ein persönliches Vertrauensvotum, das Adenauer in reichem Maß verdient hatte. Was die Welt außerhalb Deutschlands an dieser ersten Amtszeit am meisten in Erstaunen versetzte, war der materielle Wohlstand der Bundesrepublik Deutschland, das sogenannte „Wirtschaftswunder". Die wiederaufgebauten Städte, Straßen, Brücken, Stahlwerke und Werften — das waren augenfällige Zeichen des deutschen Wiedererwachens. Noch bedeutsamer aber, wenn auch weniger aufsehenerregend, war die Wiederherstellung des deutschen Staates. Die ausländischen Journalisten, die, wie ich, kurz nach Kriegsende nach Deutschland kamen, hatten nie bezweifelt, daß die deutsche Wirtschaft wieder aufgebaut werden würde, wenn uns auch die Schnelligkeit des Aufschwungs, nachdem 1948 erst einmal die Währungsreform durchgeführt worden war, erstaunte. Was jedoch die politische Zukunft der Bundesrepublik Deutschland betraf, so war man sich absolut sicher, daß die alliierte Besatzung sehr lange dauern würde. So wie die Welt es sah, konnte man den Deutschen zutrauen, ihre Städte und ihre Fabriken wieder aufzubauen, obwohl die Alliierten anfänglich geplant hatten, die Schwerindustrie auf ein Drittel ihrer Vorkriegskapazität zu reduzieren. Aber man konnte es den Deutschen eindeutig nicht überlassen, sich selbst ohne Aufsicht zu regieren. Sie hatten, so argumentierte man, keine demokratische Tradition; es war ihnen 1848 nicht gelungen,

„Ach, wer hätte das gedacht — vor zehn Jahren!"
(Juni 1955)

eine demokratische Gemeinschaft aufzubauen, und es war ihnen nicht gelungen, eine solche Gemeinschaft zwischen 1919 und 1933 zu festigen. Man erwartete allgemein, daß die Westmächte die politische Entwicklung in Westdeutschland für einen Zeitraum von 20 Jahren genau überwachen müßten. Einige Optimisten setzten die Hälfte der Zeit an. Hauptsächlich dank Adenauer waren es nur vier Jahre.

Wie hat er das erreicht? Zunächst einmal gewann er das Vertrauen der Besatzungsbehörden. Dies schien bis 1949 kein leichtes Unterfangen. Großbritannien wurde von einer Labour-Regierung regiert, aber selbst britische Konservative neigten eher dazu, eine deutsche sozialdemokratische Partei zu unterstützen, die sich als einzige geweigert hatte, Hitler durch das Ermächtigungsgesetz die Vollmachten eines Diktators zu gewähren. Frankreich wünschte eine lange militärische Besetzung des alten Feindeslandes, und die französischen Administratoren waren nicht bereit, ihr Vertrauen irgendeinem deutschen Politiker zu schenken. Die Amerikaner fühlten sich natürlicherweise zu den Parteien der politischen Mitte hingezogen — ihre Voreingenommenheit gegen

Seite 35 oben:
Konrad Adenauer im Gespräch mit Kurt Schumacher und Carlo Schmid.

Seite 35 unten:
Das erste Kabinett der Bundesrepublik Deutschland. Von links oben nach rechts unten: Heinrich Hellwege (Bundesrat); Eberhard Wildermuth (Wohnungsbau); Gustav W. Heinemann (Inneres); Fritz Schäffer (Finanzen); Christoph Seebohm (Verkehr); Anton Storch (Arbeit); Ludwig Erhard (Wirtschaft); Wilhelm Niklas (Landwirtschaft und Ernährung); Kanzler Konrad Adenauer; Hans Schuberth (Post); Franz Blücher (Marshall-Plan); Jakob Kaiser (Gesamtdeutsche Fragen); Thomas Dehler (Justiz); Hans Lubaschek (Vertriebene).

die Sozialdemokraten hinderte sie daran, irgendeinen nennenswerten Kontakt zur SPD zu entwickeln —, aber sie waren sich darüber im klaren, daß sie in Europa Neulinge und „Fremde" waren. Selbst ganz unvoreingenommene Vertreter der Alliierten waren der Auffassung, daß Adenauer wirklich zu alt sei, um im Leben der Bundesrepublik Deutschland eine beherrschende Rolle spielen zu können. Seine Wahl zum Vorsitzenden der CDU wurde als ein Taschenspielertrick angesehen; seine Wahl zum Vorsitzenden des Parlamentarischen Rats war in ihren Augen ein Fehlgriff; ein älterer Staatsmann wurde mit einer zeitlich eng begrenzten Aufgabe betraut.

Als Kanzler konzentrierte Adenauer seine Aufmerksamkeit auf die drei Alliierten Hochkommissare; tatsächlich widmete er ihnen mehr Zeit als den Ministern seines Kabinetts. Seine erste „Eroberung" war der Amerikaner, John McCloy. Das war absolut verständlich; die Amerikaner machten sich sehr viel mehr Sorgen über den Kalten Krieg gegen die Sowjetunion als über den europäischen Krieg, der bereits ausgekämpft und gewonnen war. Ihre Regierung wünschte die Deutschen

Seite 36 oben:
Der italienische Ministerpräsident Alcide de Gasperi besucht die Bundesrepublik Deutschland (1952): Bundeskanzler Adenauer begrüßt den Ministerpräsidenten auf dem Bonner Bahnhof.

Seite 36 unten:
Konrad Adenauer und der französische Außenminister Robert Schuman bei der Unterzeichnung des Schuman-Planes am 18. April 1951 in Paris.

als zukünftige Verbündete zu sehen. Es war also nur vernünftig, einer Bundesregierung der „Mitte" eine helfende Hand zu reichen. McCloys Frau war eine entfernte Cousine von Adenauers zweiter Frau, Gussie. Das half vielleicht auch.

Die Herstellung von guten Beziehungen mit dem britischen Hochkommissar, Sir Ivone Kirkpatrick, war eine sehr viel schwierigere Aufgabe. Kirkpatrick hatte einen messerscharfen Verstand — und eine ebenso scharfe Zunge. Er ließ sich gern zu raschen, ironischen Entgegnungen hinreißen und hatte ein ausgeprägtes Gespür für die Emotionen und Schwächen anderer. Er konnte ein sehr unbequemer diplomatischer Gegner sein, aber er entwickelte schnell eine Zuneigung für Adenauer, für seine Würde, seine Sachlichkeit und überraschenderweise auch für seine Geschicklichkeit und Zähigkeit als Verhandlungspartner. Er sah in ihm einen „mächtigen, aber charmanten Feind." Kirkpatrick war ebenso wie Adenauer katholisch; das war ein nützliches Band zwischen ihnen.

Es blieb wenigstens bis zu einem gewissen Grade McCloy und Kirkpatrick überlassen, ihren französischen Kollegen, André François-Poncet, unter Kontrolle zu halten. Die französische Diplomatie ist eine kalte und exakte Wissenschaft und François-Poncet war ein eleganter, aber erbarmungsloser Vertreter dieser Kunst. Es machte ihm vielleicht bis zu einem gewissen Grad Spaß, mit seinem scharfen Verstand und seiner Schlauheit gegen den Kanzler anzutreten, aber er blieb weitgehend der Diener seiner eigenen Regierung, der eher auf Anweisungen aus Paris wartete, als daß er seine eigenen Empfehlungen abgegeben hätte, wie McCloy und Kirkpatrick das taten. Der französische Argwohn gegenüber deutschen Politikern starb wirklich nur sehr schwer. Adenauer konnte in seinen Beziehungen zu Frankreich sehr viel schnellere Fortschritte erzielen, als nicht nur der Pariser Vertrag und die Saar-Frage, sondern auch François-Poncet nicht mehr im Wege standen.

Adenauer hatte schon lange vorher sein Herz an eine Aussöhnung mit Frankreich gehängt. Er konnte Beleidigungen von François-Poncet und Zurückweisungen der führenden Vertreter der französischen Regierung einstecken. Er mußte warten, bis de Gaulle zum zweiten Mal an die Macht kam, um einen führenden französischen Politiker zu finden, der seinen Glauben an den „großen Plan" einer neuen deutsch-französischen Verständigung teilte. Er setzte anfangs auf Robert Schuman, aber Schuman wurde gestürzt und starb für Adenauers Zwecke zu früh. Er war versucht, René Pleven zu seinem Vertrauten zu machen, aber dessen politische Karriere wurde frühzeitig abgebrochen. Mit Franzosen wie Guy Mollet und Pierre Mendès-France konnte er nichts anfangen. Man vergißt allzu leicht, was für eine heterogene, unstabile und zweitrangige Versammlung von Politikern Frankreich bis 1958 regierte, die kollektiv an der Schmach und Zerrissenheit ihres Landes während des Zweiten Weltkrieges litten. Wenn etwas Konstruktives dabei herauskommen soll, ist die Zusammenarbeit mit schwachen Regierungen am schwierigsten.

Sowohl als Kanzler wie als Außenminister setzte sich Adenauer dafür ein, die Freundschaft der ausländischen Politiker und Diplomaten zu pflegen und ihre Achtung zu gewinnen. Er hatte dabei im allgemeinen Erfolg, obwohl er selbst ernste Zweifel gegenüber Männern hegte, die wesentlich jünger waren als er — John F. Kennedy ist ein Beispiel dafür. Seinen größten Mißerfolg erlitt er mit Harold Macmillan, einem Mann, der in vielem seinen Geschmack teilte — gute Bücher, guten Wein, gute Bilder, gute Gespräche. Der Tiefpunkt in seinen Beziehungen zu Macmillan sollte 1959 kommen, als der britische Premierminister seinen Plan für „Zonen mit begrenzten Rüstungen" auf beiden Seiten des quer durch Deutschland verlaufenden Eisernen Vorhangs vorlegte. Adenauer gewann den Eindruck, daß Macmillan leichtsinnig sei — er gebrauchte dieses Wort einmal, als er mit einem engen Berater über ihn sprach. Das ist vielleicht auf eine falsche Interpretation von Macmillans sanfter, zurückhaltender und nobler Art zurückzuführen, die einerseits seinem Bemühen um Bescheidenheit entsprang und andererseits seine eigene Schüchternheit überdecken sollte. Der „Macmillan-Plan" hatte nichts „Leichtsinniges" an sich.

Der britische Premierminister sah die Schaffung einer entmilitarisierten Zone auf beiden Seiten der Zonengrenze vor. Es wurde von einer Tiefe von 100 km auf beiden Seiten der Grenze gesprochen, aber nur sehr flüchtig, denn der Plan kam über das Stadium eines ersten Entwurfs nie hinaus. Vielleicht hat Macmillan zuviel Aufhebens von den allgemeinen Zielsetzungen des Plans gemacht — er könne beispielsweise den Weg für eine allgemeine, kontrollierte Abrüstung freimachen, er könne den sowjetischen Argwohn gegenüber den kriegerischen Absichten des Westens vermindern, er könne zur Entspannung beitragen und eine Atmosphäre für Ost-West-Verhandlungen über die ersten Schritte zu einer endgültigen deutschen Friedensregelung schaffen. Die wirklichen Vorteile des Macmillan-Plans waren taktischer und militärischer Natur. Die Hauptbedrohung für den Frieden in Europa ging von den 20 bis 24 Divisionen der Roten Armee in der DDR aus, die von den 6 bis 8 neuaufgebauten Divisionen der DDR-Armee unterstützt wurden. Hätten sich diese Streitkräfte 100 km hinter die Zonengrenze zurückgezogen, wären sie auf ein Drittel des Gebiets der DDR beschränkt gewesen. Sie wären genötigt gewesen, ihre strategischen Positio-

nen an den Autobahnen Berlin–Hannover und Berlin–
Frankfurt und ihre Hauptübungsgebiete im Gardelege-
ner und Thüringer Wald aufzugeben. Die gesamte
„Vorwärts-Strategie" der Sowjetunion in Mitteleuropa
wäre zunichte gemacht worden. Wäre der Macmillan-
Plan angenommen worden, so hätte er die militärische

Frei nach Hemingway:
„Der alte Mann und das Meer" (Januar 1953)

Lage in Europa in ein Gleichgewicht gebracht, wobei die
Auswirkungen auf die Politik unabsehbar gewesen wären. Wenn die Russen ihn abgelehnt hätten, hätte der
Westen die Chance gehabt, die politische und diplomatische Initiative zu ergreifen. Es erscheint im Rückblick als
tragisch, daß Adenauer den Plan rundherum ablehnte,
da er auf diese Weise politisch mit Macmillan und seinem
Vorgänger, Anthony Eden, keinen gemeinsamen Boden
finden konnte.

41

Zweifellos wurden auf beiden Seiten Fehler gemacht; Macmillan versäumte vielleicht, seinen Plan mit genügender Entschlossenheit und Überzeugungskraft voranzutreiben. Dennoch hatte die britische Diplomatie weniger als vier Jahre zuvor eine Situation gerettet, die katastrophale Folgen für Adenauer und die Bundesrepublik Deutschland hätte haben können. Diese Situation ergab sich aus dem Scheitern der Europäischen Verteidigungsgemeinschaft.

Der Plan zur Gründung der Europäischen Verteidigungsgemeinschaft war in dem im Mai 1952 unterzeichneten Pariser Vertrag enthalten gewesen. Daß Frankreich den Vertrag vor dem Ende der ersten Amtszeit Adenauers nicht ratifiziert hatte, war der einzige kleine Makel in diesen vier Jahren des stetigen und zielstrebig gesuchten Erfolges. Der Todesstoß wurde der EVG Ende August 1954 versetzt, als die französische Nationalversammlung gegen jede weitere Diskussion dieses Vorhabens stimmte — Mendès-France führte dabei als Entschuldigung an, daß die davon ganz unabhängige Saar-Frage noch nicht gelöst sei und auch über den Bau des Moselkanals, den Frankreich als Zufahrtsweg zu den Eisenerzvorkommen und Stahlwerken Lothringens haben wollte, noch keine Einigung erzielt worden sei. Ausnahmsweise — und wer hätte ihm das vorwerfen können — ging Adenauer alles andere als diplomatisch und diskret vor. Er brachte seine Verärgerung über die französische Regierung in einer in der Presse stark beachteten Kabinettssitzung zum Ausdruck, die er in seinem Ferienhotel im Schwarzwald einberufen hatte, und wiederholte seine Beschuldigung der Böswilligkeit in einem Interview mit der Londoner ,Times'. Eine heftige und, was am schlimmsten war, uralte deutschfranzösische Auseinandersetzung stand bevor.

Das war vielleicht der härteste Schlag, den Adenauers

Diplomatie je erlitt. Möglicherweise war es ein Wende-
punkt in seiner Außenpolitik, die etwas von ihrem
ursprünglichen Idealismus verlor und wieder stärker zu
einer defensiven Haltung zurückkehrte. Adenauer hatte
geglaubt, daß ein starkes Europa die Russen dazu
bewegen könne, ihre Ansichten in der gesamtdeutschen
Frage zu revidieren. Er hatte außerdem geglaubt, daß
eine europäische Streitmacht die Vorbedingung für ein
starkes Europa sein müsse — sonstige militärische
Abmachungen konnten nur Ersatzlösungen sein. Die

Edens europäische Mission (September 1954)

EVG war nun einmal das Kernstück des Pariser Vertrages, und erst nach der Ratifizierung dieses Abkommens
würde die Besetzung der Bundesrepublik Deutschland

43

durch die Alliierten formell zu einem Ende kommen (praktisch war sie bereits ein Jahr vorher beendet worden).

Im August 1954 war Winston Churchill Großbritanniens Premierminister, und er sandte Adenauer sofort eine ermutigende Botschaft. Sein Außenminister, Anthony Eden, startete am 11. September zu einer Blitzreise durch die europäischen Hauptstädte, um eine Neunmächtekonferenz einzuberufen und die Bundesrepublik Deutschland sowie Italien zum Beitritt zum Brüsseler Pakt von 1948 aufzufordern. Churchill und seine Regierung boten an, für die nächsten fünfzig Jahre vier Divisionen und eine taktische Luftwaffenstaffel auf deutschem Boden zu belassen — seitens einer britischen Regierung eine ganz einmalige Geste.

Am wirksamsten an dieser britischen Aktion war die Schnelligkeit, mit der sie durchgeführt wurde. Der revidierte Brüsseler Pakt wurde am 3. Oktober 1954 unterzeichnet. Die Bundesrepublik Deutschland sollte wieder aufrüsten und wurde aufgefordert, der NATO beizutreten, sie müßte allerdings versprechen, keine atomaren, biologischen oder chemischen Waffen herzustellen. Die Souveränität Westdeutschlands wurde gleichzeitig in vollem Umfang wiederhergestellt. Denn diesmal ratifizierte eine beschämte französische Nationalversammlung die Verträge, die man ihr vorgelegt hatte.

Adenauer hatte alle wesentlichen Ziele erreicht, die er sich 1949 gesetzt hatte, wenn auch nicht ganz in der Art und Weise, die ihm vorgeschwebt hatte. Im März 1957 sollte er seinen Erfolg noch dadurch vergrößern, daß er die Bundesrepublik Deutschland in den Gemeinsamen Markt integrierte. Zu diesem Zeitpunkt war sein Land Mitglied jeder wichtigen europäischen Institution, und vielleicht ist es an dieser Stelle angebracht, Adenauers persönlichen Beitrag zu diesem Ergebnis zu würdigen. Zunächst einmal hörte er nie auf, die Einheit und Solidarität Europas zu beschwören. Zweitens unterstützte er die Beteiligung Westdeutschlands an allen europäischen Vorhaben. Vor allem war er, und das ist vielleicht noch wichtiger, von beispielhafter Loyalität gegenüber den europäischen Institutionen, und diese Haltung hat sich seither jede Bundesregierung zu eigen gemacht. Adenauer verstand, daß sich die Bundesrepublik Deutschland in Europa „ihre Sporen verdienen" müsse – alter Argwohn stirbt nur langsam, und es gibt selbst heute noch sehr lebendige Erinnerungen an die Zeit der Nationalsozialisten und ihre Verbrechen. Zum Teil dank Adenauers Beispiel war die Bundesrepublik Deutschland der denkbar beste Partner in der EWG, der NATO und im Europarat. Es hat selbstverständlich auch Schwierigkeiten gegeben — beispielsweise mit den Stationierungskosten für die amerikanischen Streitkräfte auf deutschem Boden. Aber selbst in diesen Angelegenheiten handelten die Vertreter der Bundesrepublik Deutschland verständnisvoll und vernünftig. Diejenigen, die, wie ich, gegen das Deutschland Hitlers gekämpft haben, wissen heute, daß der einstige böse Feind zu seinem sehr guten Freund geworden ist.

Es ist behauptet worden, daß der Zusammenbruch der EVG Adenauer zu dem Versuch bestimmt habe, in den Beziehungen mit der Sowjetunion einen neuen Anfang zu machen. Da die Politik der Stärke wenig erfolgversprechend war — so argumentierte man — schien es Sache der bundesdeutschen Regierung zu sein, die Russen davon zu überzeugen, daß eine gerechte und endgültige Regelung der Deutschlandfrage in ihrem ureigensten Interesse läge. Es stand fest, daß die deutsche Wiedervereinigung nur mit der Zustimmung der Russen verwirklicht werden konnte. Außerdem hatte der Aufstand in der DDR vom 17. Juni 1953 gezeigt, wie das Volk die sowjetische Form des Kommunismus und das Marionettenregime Ulbrichts haßte. Das Schicksal der 17 Millionen Deutschen war ein menschliches Problem, es hätte schwerer wiegen sollen als politische Überlegungen.

Die Ausgangslage für eine echte Verständigung zwischen der Bundesrepublik Deutschland und der Sowjetunion war 1955 nicht sehr vielversprechend. Es hatte, das ist richtig, im Kalten Krieg eine Tauwetterphase gegeben; die Berliner Blockade lag in der Erinnerung weit zurück. Aber Versuche, die Sowjetunion zu irgendwelchen Konzessionen zu bewegen, waren total gescheitert. 1951 hatte die Bundesregierung begonnen, gesamtdeutsche, freie Wahlen zu propagieren; sie hatte für diese Wahlen einen 14-Punkte-Plan ausgearbeitet und die Zustimmung der Vereinten Nationen zur Entsendung einer Untersuchungskommission in die beiden deutschen Staaten erhalten. 1952 hatte der Bundestag zu diesen freien Wahlen ein Gesetz verabschiedet, aber zu dem Zeitpuhkt war der UN-Kommission die Einreise in die DDR bereits verweigert worden.

Die Russen bestanden weiterhin für die 17 Millionen DDR-Deutschen auf einer Vertretung, die dreimal so groß gewesen wäre wie die der Westdeutschen. 1952/53 gingen viele Noten und Memoranden hin und her, aber sie und die Viermächtekonferenz in Berlin im Januar und Februar 1954 brachten keine konkreten Ergebnisse. Im März 1954 verkündete die Sowjetunion die Souveränität der DDR im Prinzip und verfestigte so die Spaltung Deutschlands. Als Antwort bekräftigten die Westmächte das ausschließliche Recht der Bonner Regierung, für das gesamte deutsche Volk zu sprechen.

Im Dezember 1954 und wieder im Januar 1955 machte die Sowjetunion versuchsweise Angebote für freie, gesamtdeutsche Wahlen — sofern der militärische Status der Bundesrepublik Deutschland zur Zufriedenheit der Sowjets geregelt würde. Es sah so aus, als bemühe man sich in letzter Minute darum, das Inkrafttreten des Vertrages über die westdeutsche Beteiligung an der NATO zu verhindern. Hätte Adenauer seine Außenpolitik zu diesem Zeitpunkt grundlegend geändert, wäre die Glaubwürdigkeit seiner Regierung untergraben gewesen. Bonns Antwort bestand darin, das revidierte Pariser Abkommen im Februar 1955 zu ratifizieren. Was in den Köpfen der sowjetischen Führung vorgeht, ist immer undurchschaubar gewesen; wahrscheinlich waren ihre Angebote reine Manöver, um Zeit zu gewinnen und die europäische Einheit zu zerstören. Wenigstens kann man mit gutem Gewissen sagen, daß sie die westliche Ablehnung ihres Angebots nicht für eine Katastrophe hielt. Denn im Juni 1955 lud man Adenauer nach Moskau ein. Er akzeptierte die Einladung und kam dort im September an.

Hätte er das je tun sollen? Es ist heute rückblickend leicht zu sagen, daß sein Besuch verfrüht und schlecht geplant war. Natürlich gibt es eine Fülle von Gründen für diese Auffassung. Erstens war die einzige „Konzession", die Adenauer in Moskau gemacht wurde, die Zusage zur Rückkehr von etwa 10 000 Kriegsgefangenen. Aber schon bevor er nach Moskau eingeladen worden war, hatte es deutliche Anzeichen dafür gegeben, daß die Gefangenen — dank der Arbeit von Dr. Heinrich Weitz und dem Roten Kreuz — ohnehin zurückkehren würden. Daß die sowjetische Regierung überhaupt ihre Existenz zugegeben hatte, bedeutete schon, daß sie bereit war, über die Rückkehr zu verhandeln. Zweitens zielte die Gegenforderung der Russen — die Aufnahme von diplomatischen Beziehungen zwischen den beiden Ländern — auf eine stillschweigende Anerkennung der

Teilung Deutschlands und der Existenz zweier deutscher Staaten durch die Bundesrepublik Deutschland. Adenauer akzeptierte tatsächlich den Status quo in Europa zwanzig Jahre früher als dies die übrige westliche Welt im August 1975 auf der Konferenz in Helsinki tat. Es ist kaum überraschend, daß eine Mehrheit von Adenauers engsten Beratern, Heinrich von Brentano, Walter Hallstein und Herbert Blankenhorn, gegen das in Moskau unterzeichnete Abkommen war. Man braucht nur eine bedeutsame Fußnote hinzuzufügen: die Sowjetunion, die ja bereits ihre Absicht bekannt gegeben hatte, die DDR zu einem souveränen Staat zu erklären, führte diesen Vorsatz am 20. September 1955 aus — sechs Tage nachdem Adenauer und seine Begleiter wieder abgereist waren.

Es gilt jedoch, einen noch traurigeren Epilog anzufügen. Nach der Moskauer Konferenz ging die Suche nach der deutschen Wiedervereinigung buchstäblich in einem Chaos von Frustrationen unter. Bereits im September 1955 begannen die sowjetischen Behörden erneut, den Verkehr zwischen Westberlin und der Bundesrepublik Deutschland zu stören. Im Mai 1956 legte der frühere amerikanische Botschafter in Moskau, George Kennan, den Plan für eine friedliche Koexistenz mit der Sowjetunion vor, und darauf folgte im Juli 1956 der Plan des amerikanischen Generals Arthur Radford für die Reduzierung der amerikanischen Streitkräfte in Europa. Die beiden Männer argumentierten im wesentlichen gleich: wenn die Bundesrepublik Deutschland aus einem Abkommen mit der Sowjetunion Vorteile ziehen konnte, warum sollten das dann Amerika und die übrige Welt nicht auch tun? Macmillans Plan der entmilitarisierten Zonen schien mit einer derartigen Konzeption zusammenzupassen (tatsächlich ein konstruktiverer Versuch, die Initiative für den Westen wiederzugewinnen).

1957 übte die Sowjetunion starken Druck auf Adenauer aus, in Dreiergespräche mit der DDR einzutreten. 1958 forderte die Sowjetunion bilaterale Gespräche zwischen den beiden deutschen Staaten und einen „Gipfel" der Großmächte, der die Spaltung Deutschlands offiziell besiegeln sollte. Im Oktober 1958 begann ein großangelegter diplomatischer Angriff auf Westberlin, wobei behauptet wurde, die Stadt läge auf dem Territorium der DDR und die Verbindungswege würden unter die Kontrolle der DDR gestellt. Im November verkündete Chruschtschow, Erster Sekretär des Zentralkomitees der KPdSU und Vorsitzender des Ministerrats der UdSSR, ein neues Dogma: der Viermächtestatus Berlins sei null und nichtig und Westberlin solle eine „freie Stadt" werden. Die Sowjetunion wünschte in der Tat jetzt drei deutsche „Staaten" und nicht mehr, wie vorher, nur zwei. Dem dritten „Staat", Westberlin, wäre offensichtlich ein baldiges Ableben und die Eingliederung in die DDR bestimmt gewesen. Dies machte die sowjetische Regierung im Oktober mehr als klar.

Der letzte „Akt" von Adenauers gesamtdeutscher Politik fand im August 1961 mit dem Bau der „Mauer" statt. Die Sowjetunion war über das Stadium des Deklamierens und Anklagens und die Vorlage von Plänen hinausgegangen, die offenkundig den Zweck verfolgten, die Einheit des westlichen Bündnisses und die Unabhängigkeit Westberlins zu untergraben. Die Mauer trug dazu bei, die DDR zu festigen. Sie hinderte ihre Bewohner daran, den einzigen, leicht zugänglichen Weg in die Freiheit zu ergreifen, der ihnen noch offen gestanden hatte, und sie überzeugte sozusagen die gesamte Bevölkerung der DDR, daß sie nur noch versuchen könne, „das Beste daraus zu machen" und als loyale Bürger eines kommunistischen Marionettenstaates zu leben, eines Staates, dem immer mehr die äußeren

Zeichen der wahren Staatlichkeit verliehen würden und dem, eine noch wirksamere Hoffnung, ein besserer Lebensstandard und mehr Annehmlichkeiten des täglichen Lebens beschert würden. Die Machthaber in der DDR hatten unter sowjetischer Aufsicht ihren Teil sehr erfolgreich erfüllt und sich dabei auf den Fleiß, die Disziplin und die totale Ohnmacht ihrer 17 Millionen Untertanen verlassen.

Adenauer hat möglicherweise nicht gut daran getan, 1955 nach Moskau zu gehen. Vielleicht verließ er sich zu sehr auf seine persönliche Überzeugungskraft, sein logisches Denken und die Menschlichkeit, die allen seinen Gefühlen zugrunde lag. Angesichts der sowjetischen Führung hatte nichts davon auch nur die geringste Bedeutung. Sie wollte ihn in Moskau sehen, damit er ihren eigenen Zielen diene; im wesentlichen gelang ihr das. Es war nie ihre Absicht gewesen, der Bundesrepublik Deutschland, die ihrer Meinung nach in das Lager der Feinde gehörte, auch nur ein einziges wertvolles Zugeständnis zu machen. Nach der Moskauer Konferenz machte die sowjetische Führung keiner Adenauer-Regierung gegenüber auch nur eine einzige freundliche Geste, und es hat etwas Tragisches, wenn Adenauer, der schon halb in den Ruhestand getreten ist, sich fragt, ob er sich nicht doch noch einmal an den Kreml hätte wenden sollen, „bevor es zu spät war." Seit seinem Tod ist viel Wasser den Rhein heruntergeflossen, und die Sowjets streben so energisch und unerbittlich wie eh und je nach einer Vormachtstellung in Europa. Inzwischen läßt sich mit einiger Sicherheit sagen, daß die Sowjetunion weder 1952 noch 1955 noch 1959 ernsthaft an die Möglichkeit einer deutschen Wiedervereinigung glaubte. Ihre Führer boten eine Gesprächsgrundlage an; derartige Gespräche wären erbarmungslos dafür benutzt worden, jede Anstrengung für ein vereinigtes Westeuropa zu Fall zu bringen. Adenauer leistete einen erheblichen Beitrag zu einer Reihe von Ansätzen in diese Richtung. Wenn er es versäumte, die sowjetischen Absichten gründlicher zu erforschen, so war er in dieser Hinsicht nur einer von vielen zeitgenössischen Diplomaten. Viele von ihnen hatten weit bessere Gelegenheiten zu erfahren, ob man die sowjetische Führung jemals dazu würde bewegen können, an eine wirklich sinnvolle „Entspannung" zu glauben. Die Konferenz in Helsinki vom August 1975 hat gezeigt, daß Adenauers Zweifel an den guten Absichten der Sowjets vor einem halben Menschenalter voll gerechtfertigt waren.

Zwei weitere Probleme, die Adenauer anzugehen hatte, verdienen es, getrennt behandelt zu werden; es handelt sich um die Saar und um die Juden. Die Saar-Frage war natürlich mit den deutsch-französischen Beziehungen insgesamt eng verbunden, trotzdem blieb sie merkwürdig losgelöst von den Hauptereignissen der deutsch-französischen Politik. Der Grund dafür ist klar: was die Franzosen im Saargebiet zu erreichen versuchten, richtete sich gegen jeden Geist der deutsch-französischen Verständigung und lief den Interessen des westlichen Bündnisses als Ganzem zuwider. Frankreich hatte eindeutig die Absicht, das Saargebiet zu annektieren, und zwar heimlich. Im Gegensatz zu der übrigen französischen Besatzungszone wurde das Gebiet erst unter eine besondere militärische und dann eine zivile Verwaltung gestellt. Frankreich installierte in Saarbrücken eine Marionettenverwaltung, die einige Züge des Quisling-Regimes während des Zweiten Weltkrieges in Norwegen aufwies. Das Saargebiet wurde wirtschaftlich Frankreich angeschlossen, und 1950 legte Frankreich die „Saar-Konventionen" vor, die diesen Wirtschaftsraum zu einer bleibenden Einrichtung gemacht hätten und die das Werk der „grauen Eminenz" im Quai d'Orsay, Maurice

Couve de Murville, waren, einem Mann, der dem „Prinzen" Machiavellis viel über die Künste der listenreichen Diplomatie hätte beibringen können. Im Saargebiet wurden die freien politischen Parteien verboten und gegen ihre Mitglieder eine Unterdrückungskampagne veranstaltet. 1952 wurden gefälschte Wahlen abgehalten, und 1953 stellte der neue französische Premierminister, René Mayer, klar, daß die deutsche Annahme der geringfügig abgeänderten Konventionen und eines scheinbar „europäischen" Status der Saar die Vorbedingung für die französische Annahme der Bonner und Pariser Verträge sei. Dies hatte einen Beigeschmack von politischer Erpressung.

Angesichts all dieser Ereignisse nahm Adenauer eine im wesentlichen passive Haltung ein. Er brachte zwar Einwände gegen die Konventionen vor, als sie zum ersten Mal veröffentlicht wurden. Danach aber tat er sozusagen gar nichts mehr. In seinen Memoiren behauptet er, daß die Bewohner der Saar die Chance gehabt hätten, sich ihre eigene politische Meinung zu bilden und ihre eigenen wirtschaftlichen Interessen zu wahren. Genau das Gegenteil war der Fall, wenigstens bis 1954. Damals einigten sich Adenauer und der französische Premierminister Pierre Mendès-France auf eine Volks-

Seite 53 oben:
Unterzeichnung des Deutsch-amerikanischen Freundschaftsabkommens in Washington am 28. Oktober 1959.

Seite 53 unten:
Blitzbesuch des US-Präsidenten Dwight D. Eisenhower in Bonn (1959).

befragung im Saargebiet über das „Statut", welches alle wesentlichen Merkmale der Konventionen enthielt und das Gebiet in eine „europäische Enklave" unter französischer Schirmherrschaft verwandelt und sozusagen vollständig unter die wirtschaftliche Kontrolle Frankreichs gestellt hätte. Mendès-France glaubte, daß die Saarländer für das Statut stimmen würden; er war von dem französischen Marionettenpremier in Saarbrücken, Johannes Hoffmann, falsch über den Stand der öffentlichen Meinung unterrichtet worden. Die Saarländer, die der Rasse, der Sprache und ihrer Wahl nach Deutsche sind, stimmten gegen das Statut, und das Saarland wurde am 1. Januar 1957 wieder in die Bundesrepublik Deutschland eingegliedert.

Adenauers Dilemma in der Saarfrage war verständlich. Er hatte sein Herz an eine umfassende und endgültige Annäherung an Frankreich gehängt. Er brauchte Frankreichs Unterstützung für den Beitritt der Bundesrepublik Deutschland in Robert Schumans Europäische Gemeinschaft für Kohle und Stahl, für die Wiederherstellung der deutschen Souveränität und für die Beendigung der alliierten Besatzung. Subtil und bis

Seite 54 oben:
Aufnahme der Bundesrepublik Deutschland in die NATO (1955). Von rechts nach links: Herbert Blankenhorn, Konrad Adenauer, Parodu, Pinay.

Seite 54 unten:
Konrad Adenauer und Walter Hallstein bei der feierlichen Unterzeichnung der Europa-Verträge in Rom am 25. März 1957.

zu einem gewissen Grad unaufrichtig forderten ihn die Franzosen auf, dafür einen Preis zu bezahlen — Aufgabe von einer Million Deutschen im Saargebiet durch die Bundesrepublik Deutschland. Adenauer spielte um einen hohen Einsatz. Aber die von einigen Autoren vertretene Ansicht, seine Saarpolitik habe insofern einen glänzenden Erfolg erzielt, als er die Zeit für sich und die Saarländer habe arbeiten lassen, ist unhaltbar. Politik ist keine exakte Wissenschaft und das Glück ist mit im Spiel. Im Fall des Saarlandes war das Glück auf Adenauers Seite. Daß er gegen die wahren Interessen und Wünsche seines Volkes riskierte, das Saarland für immer zu verlieren, ist unbestreitbar.

In der Behandlung des anderen, davon unabhängigen Problems, in den Beziehungen zum jüdischen Volk, hat Adenauer sich große Verdienste erworben. Nach einleitenden Sondierungsgesprächen mit Vertretern der israelischen Regierung wandte sich Adenauer im September 1951 an den Bundestag und gab seine feste Absicht bekannt, eine „Wiedergutmachung" an das jüdische Volk in die Wege zu leiten — Wiedergutmachung für die schrecklichen Verbrechen, die die Nationalsozialisten an ihm begangen hatten. Er benützte während eines Besuchs in London im Dezember 1951 die Gelegenheit, Dr. Nahum Goldmann, den Präsidenten des Jüdischen Weltkongresses, zu einem Gespräch einzuladen, und Goldmann sollte sich später über die „unfehlbare Gradheit und logische Konsequenz" Adenauers sehr anerkennend äußern. Es wurden israelische und deutsche Delegierte ernannt, die in Den Haag die Einzelheiten eines Schuldenabkommens aushandeln sollten. Schließlich verpflichtete sich die Bundesrepublik Deutschland in der Mitte des Jahres 1952, dem Staat Israel über einen Zeitraum von 12 Jahren eine Summe von insgesamt 3500 Millionen DM hauptsächlich in Form von Sachgütern zu zahlen. Das Abkommen wurde im September in Luxemburg unterzeichnet und im März 1953 vom Bundestag ratifiziert. Vollkommen unabhängig von dem Schuldenabkommen traf die Bundesrepublik Deutschland gesetzliche Maßnahmen zur Entschädigung derjenigen, die die Vernichtung durch die Nazis überlebt hatten, eine unendlich schwierige Aufgabe, die bis heute noch nicht abgeschlossen ist.

Adenauers persönlicher Beitrag zur Aussöhnung mit Israel war erheblich. Er griff selbst ein, als die Gespräche über das Abkommen in Schwierigkeiten gerieten. Er wohnte der Eröffnung einer neuen Synagoge in Köln bei, die die von den Nazis zerstörten Synagogen ersetzen sollte, er legte am jüdischen Denkmal in dem früheren Konzentrationslager in Belsen einen Kranz nieder und zeigte dadurch, daß er ganz persönlich Scham für die Verbrechen der Nazis empfand. 1952 bot er Israel versuchsweise die Aufnahme diplomatischer Beziehungen an, aber die israelische Regierung entschied, daß die Zeit dafür noch nicht reif sei. Er bemühte sich sehr, den israelischen Premierminister, David Ben Gurion, zu treffen, als sich beide im März 1960 in New York aufhielten; er zeigte seine Fassungslosigkeit über die Verbrechen der Nazis und beschwor die Notwendigkeit, die besten nur möglichen Beziehungen zwischen beiden Ländern herzustellen. Adenauer war ein stolzer Mann und hatte persönlich ein reines Gewissen, was die Juden betraf. Es fiel ihm vielleicht schwer, im Gewand des Büßers für die deutsche Schuld aufzutreten; wenn dies so war, versagte er es sich jedenfalls, dies innere Dilemma auch nur andeutungsweise zu zeigen. Seine Haltung hat es der jüdischen Welt ermöglicht, sich positiv mit dem auseinanderzusetzen, was eine „besondere Beziehung" zwischen der Bundesrepublik Deutschland und Israel werden sollte. Es handelte sich um eine mit psychologischen Schwierigkeiten schwer belastete Aufgabe, die von deutscher Seite nur mit Beharrlichkeit, Takt und großem Zartgefühl zu bewältigen war. Adenauer besaß diese Eigenschaften in vollem Maße – selbst wenn er sie nicht immer im Umgang mit seinen Landsleuten einsetzte.

Notwendigerweise kommen wir zum Herbst der Karriere Adenauers. In den Augen der Welt verlor er einen Teil seines ungeheuren Ansehens in der „Präsidentschaftskrise" von 1959, als er sich zunächst bemühte, Ludwig Erhard zum Bundespräsidenten zu machen – um ihn von der Kanzlernachfolge auszuschließen – und dann beschloß, selbst Bundespräsident zu werden, schließlich seine Entscheidung rückgängig machte. Es handelte sich um eine rein innerdeutsche Angelegenheit, aber die Welt beobachtete Bonn während dieses unschönen Hin und Her genau. In den Augen der Welt ließ auch Adenauers Verhalten beim Bau der „Mauer" viel zu wünschen übrig; daß er seinen größten politischen Rivalen, Willy Brandt, anschwärzte, als dieser Bürgermeister der alten deutschen Hauptstadt war, zeigte einen betrüblichen Mangel an Geschmack und das Unvermögen, die Solidarität der Deutschen angesichts einer neuen und mysteriösen Bedrohung der Sowjets zu mobilisieren. Adenauers Ruf wurde auch durch die schmutzige „Spiegel-Affäre" und durch seine heftigen Angriffe auf Erhard beeinträchtigt, nachdem dieser an seiner Stelle Kanzler geworden war. Die Welt war nicht unmittelbar in diese Angelegenheiten verwickelt, aber sie zeigen, daß Adenauers Erfolge von der Mitte des Jahres 1959 an seltener wurden, während sich seine Sorgen mehrten.

Die Welt war jedoch unmittelbar von dem betroffen, was in den letzten fünf Jahren seiner Kanzlerschaft der Grundstein von Adenauers Außenpolitik werden sollte: die deutsch-französische Verständigung. Als General Charles de Gaulle im Juni 1958 in Frankreich an die

Macht kam, war nicht sofort klar, daß dies der Beginn einer neuen Ära in den deutsch-französischen Beziehungen sein könnte. Adenauers Verteidigungsminister, Franz Josef Strauß, glaubte es und bat, sogleich nach Paris reisen zu dürfen, um persönlichen Kontakt mit General de Gaulle aufzunehmen. Adenauer verweigerte es ihm, und als er selbst im September de Gaulle in Colombey-les-deux-Eglises traf, war er von seinem geistig sehr beweglichen, liebenswürdigen und vor Selbstvertrauen überschäumenden Gastgeber nicht übermäßig beeindruckt. Er ging sogar so weit, dem damaligen britischen Botschafter in Bonn, Sir Christopher Steel, zu erzählen, der General habe „militaristische", ja sogar „faschistoide" Züge. Das mystische Sendungsbewußtsein des Generals hatte ihn ebenso beunruhigt — Adenauer glaubte, daß Staatsmänner mit beiden Beinen fest auf der Erde stehen sollten — wie seine dramatischen und bisweilen pompösen Gesten und die militärische Aura, mit der er sich umgab.

Sein zweites Treffen mit de Gaulle in Bad Kreuznach im November rief einen grundlegend anderen Eindruck hervor. Der General tat alles, um ihn zu fesseln und zu überzeugen. Er gab Adenauer die Zusage, daß das Frankreich, dessen Gesundungsprozeß er bereits eingeleitet habe, der feste und zuverlässige Bundesgenosse der Bundesrepublik Deutschland sein werde, er ließ sich über Adenauers Lieblingsthema der „europäischen Idee" aus und weckte in ihm Mißtrauen bezüglich der britischen Absichten — besonders was den „Maudling-Plan" zur Schaffung einer europäischen Freihandelszone anging, die die EWG schwächen würde, sowie im Hinblick auf die angeblich mangelnde Festigkeit der Briten in der Berlin-Frage. Das Bad Kreuznacher Treffen bereitete Besuche von Adenauer in Frankreich und von de Gaulle in der Bundesrepublik Deutschland vor. Es war noch verfrüht, von einer „Achse Paris–Bonn" zu sprechen, und die Beziehungen der beiden Länder sollten in den nächsten Jahren einer Reihe von Belastungen ausgesetzt sein — Adenauer beunruhigte

„Bitte sehr, Monsieur Mac — aber natürlich müssen sie sich anpassen!" (Juni 1962)

das französische Desinteresse an der NATO, und er wandte sich scharf gegen den französischen Anspruch, bei dem Einsatz der amerikanischen atomaren Abschreckung im Falle eines Konflikts in Europa ein Vetorecht zu haben. Aber in Bad Kreuznach war ein Prozeß in Gang gesetzt worden, der zu immer engeren Beziehungen zwischen Adenauer und de Gaulle und schließlich im Januar 1963 zur Unterzeichnung des

60

Deutsch-französischen Freundschaftsvertrages führte —
ein Ereignis, das Adenauer als seine größte Ruhmestat
ansah.

Für de Gaulle, auf der anderen Seite, muß dieses
Ereignis ein Teil seines „Alltagsgeschäfts", und dazu
eines sehr nützlichen, gewesen sein. Denn es folgte
unmittelbar auf das französische Veto zu Großbritanniens geplantem Beitritt zur EWG und festigte die
Position Frankreichs als der unbestritten führenden
Macht des „Kleinen Europa" der Sechs. Was für
Adenauer eine gefühlvolle, symbolträchtige und roman-
tische Angelegenheit war, war für die Franzosen ein ganz
profaner Akt politischer Routine. Der eigentliche Zweck
war, Großbritannien von Europa fernzuhalten.

Sollte man Adenauer sein Mitwirken daran vorwerfen? Sicherlich tat er nichts, um de Gaulle von seinen
Plänen abzubringen. In der Öffentlichkeit bewahrte er
ein hartnäckiges Schweigen, erzählte jedoch seinen
Beratern, daß der Beitritt Großbritanniens den Fortschritt auf eine politische Union in Europa hin aufgehalten hätte und daß Großbritannien, bevor es versucht
habe, in letzter Minute auf den fahrenden Zug aufzu-
springen, den Erweis der EWG als erfolgreiches Unternehmen abgewartet habe. Adenauer wollte Großbritannien aus zwei Gründen nicht in der EWG haben: er hatte
Zweifel an den ernsten Absichten der Briten und ihrer
Begeisterung für die EWG, und er glaubte, daß das
britische Volk niemals „proeuropäisch" denken würde.
Diese Argumente waren nicht ganz von der Hand zu
weisen, aber man muß sich die gewaltige Front derjenigen vor Augen halten, die ihnen nicht zustimmten. In der
Bundesrepublik Deutschland wünschten die drei großen
politischen Parteien den Beitritt Großbritanniens in die
EWG. Das gleiche galt für die westdeutsche Industrie
und den größten Teil der westdeutschen Presse. Das galt

auch mit an Sicherheit grenzender Wahrscheinlichkeit für eine sehr große Mehrheit des Volkes in der Bundesrepublik Deutschland. Wenn es, wie sich zeigte, möglich war, das Kriegsbeil zwischen der Bundesrepublik Deutschland und Frankreich zu begraben, warum dann nicht auch zwischen Großbritannien und der Bundesrepublik Deutschland? Wenn es einen Deutsch-französischen Freundschaftsvertrag geben konnte, warum konnte es dann nicht einen ähnlichen Vertrag mit Großbritannien geben? Aber eine so spektakuläre Geste wäre zu diesem Zeitpunkt nicht einmal erforderlich gewesen; die britische Mitgliedschaft in der EWG hätte der erste bescheidene, konkrete Schritt sein können. Die Folgen des französischen Vetos gegen die britische Mitgliedschaft in der EWG, das die Bundesrepublik Deutschland stillschweigend duldete, waren unabsehbar. Die Bewegung auf eine größere europäische Einheit hin wurde heftig gebremst. Großbritanniens Interesse an Europa erlitt einen ebenso schweren Rückschlag. 1963 hatte Großbritannien eine der „europäischen Idee" verpflichtete Regierung und einen Verhandlungsführer, Edward Heath, der ebenso geschickt wie verständnisvoll war. Der ganze ungeheuer mühselige Prozeß der nochmaligen britischen Beitrittsverhandlungen und dann die Neuverhandlung dieser Beitrittsbedingungen durch Wilson und seine Labour-Regierung hätten vermieden werden können. Großbritanniens katastrophaler wirtschaftlicher Rückgang hätte aufgehalten werden können — wenn man es einem deutschen Kanzler auch vielleicht nachsehen sollte, daß er der Meinung war, dies ginge ihn nichts an. Wäre Großbritannien der EWG 1963 beigetreten, wäre das westliche Bündnis heute viel stärker, und die „europäische Idee" hätte ein Jahrzehnt gehabt, um sich bis nach Portugal, Griechenland und sogar bis in die. Türkei auszubreiten. Schließlich hätte man die

62

Franzosen vielleicht von ihrem „Auszug" aus der NATO abhalten können.

Die Ereignisse des Januars 1963 — der Deutsch-französische Freundschaftsvertrag und der Ausschluß Großbritanniens aus der EWG — führen zu einer zusammenfassenden Beurteilung der Leistungen Konrad Adenauers in den Augen der Welt. Dazu also einige Gedanken:

Auf der Sollseite ist zu vermerken, daß es ihm nicht gelungen ist, irgendeinen Fortschritt in Richtung auf die deutsche Wiedervereinigung hin zu erzielen — obwohl wirkliche Fortschritte vielleicht nie zu erzielen waren. In gewisser Weise schadete er in seinen späteren Jahren der Sache der europäischen Einheit, indem er sich zu sehr auf ein Frankreich stützte, das sich in mancher Hinsicht als „schlechter Europäer" erwiesen hatte. Im eigenen Land versäumte er, die umfassenden sozialen Reformen durchzuführen, die die Bundesrepublik Deutschland zum Schrittmacher für die anderen europäischen Demokratien hätte werden lassen können — es ist in der Tat oft angeführt worden, daß er in Deutschland nicht eine wirkliche organische Demokratie, sondern eher eine „Kanzlerdemokratie" förderte, ein Gemisch aus demokratischen Institutionen und autoritärer Kontrolle. Seine Ansicht, daß er seinen eigenen Nachfolger zu ernennen habe, gewährt einen Einblick in das Ausmaß seines Führungsanspruchs. Sein heftiger Widerstand gegen die Kandidatur Erhards hätte beinahe ein politisches Vakuum geschaffen, in dem das deutsche Volk seinen Glauben an die Demokratie hätte verlieren können. Erhard war vielleicht, das ist richtig, kein großer Kanzler; aber es wäre eine große Hilfe gewesen, wenn man ihn auf diese Rolle vorbereitet hätte.

Erwartete Adenauer zu viel von der Stärke des Westens und war seine „Politik der Stärke" falsch konzipiert? Die gleiche Frage hat man an Willy Brandts

Ostpolitik gestellt, die ebenso entscheidend sowohl von der militärischen wie von der moralischen Stärke des Westens abhing. In beiden Fällen hat die Bundesrepublik Deutschland eine Politik eingeleitet und einen eigenen Beitrag geleistet. In beiden Fällen fehlte es im übrigen westlichen Bündnis an Einheit und Zielstrebigkeit, einem Bündnis, das von der Idee eines „roll-back" des sowjetischen Einflusses in Europa zu der Konzeption einer bloßen Eindämmung und von dort zu einer rein passiven „Entspannung" schritt. Dagegen hatte sich Adenauer auf das Entschiedenste gewandt; und auch Willy Brandt war es in seiner Konzeption der Ostpolitik nicht darum gegangen.

Adenauers Mißerfolge werden von seinen Erfolgen bei weitem aufgewogen. Seine Geduld und Geschicklichkeit bei der Wiedergewinnung der Souveränität für die Bundesrepublik Deutschland und bei der erfolgreichen Wiedereingliederung seines Landes in Westeuropa, sein Weitblick bei der Gewinnung von festen Freunden für sein Land und sein Volk sind bereits gewürdigt worden. Wenn seine Regierung patriarchalisch war, so war das vielleicht genau das, was die Deutschen brauchten. Sein „Stil" war untadelig, kühl, sachlich, unsentimental. Wenn er in seiner Außenpolitik vorsichtig war, so deshalb, weil er erkannte, daß sein Land der Zankapfel zwischen zwei Supermächten war, deren materielle Stärke alles vorher in der Geschichte Dagewesene übertraf. Seine Außenpolitik war außerdem lobenswert einfach — Adenauer selbst war der Überzeugung, daß Einfachheit die Frucht und Belohnung tiefen Nachdenkens sei.

Er war sich darüber im klaren, daß das Europa seiner Jugend sowohl machtpolitisch wie moralisch an Größe verloren hatte. Das Europa der Mitte des 20. Jahrhunderts war nichts weiter als ein Streifen entlang den

Küsten des Atlantik und des Mittelmeeres. Dieses verkleinerte Europa mußte zusammengehalten und allmählich gestärkt werden. Er wußte, daß es ihm höchstwahrscheinlich nicht gelingen würde, dem deutschen Volk seine Einheit wiederzuschenken; aber er konnte nicht laut verkünden, was in jenen Tagen als Ketzerei gegolten hätte. Vielleicht ließ er abgenützte Dogmen zu lange leben — das Recht jedes Vertriebenen auf seine Heimat, die Unannehmbarkeit der Oder-Neiße-Grenze, das Nichtvorhandensein eines zweiten Staates auf deutschem Boden, die Notwendigkeit freier, gesamtdeutscher Wahlen als dem einzigen Weg zur Wiedervereinigung. Derartige Dogmen konnten nicht alle auf einmal abgetan werden; sie würden erst dann vergehen, wenn sich die Deutschen ihrer eigenen veränderten Lage bewußt geworden waren.

Für einen Engländer wie mich, und ich habe das an anderer Stelle bereits geschrieben, bestand Adenauers größte Leistung darin, dem Volk der Bundesrepublik Deutschland Zeit zum Nachdenken, Zeit zum Wiederauf-die-Füße-kommen gegeben zu haben. Er half ihnen, die alten teutonischen Götter zu stürzen, diesen von Hitler und seinen Anhängern zu neuem Glanz erweckten Glauben an irrationalen Dynamismus und primitive Mythologie. Er ersetzte Hysterie durch Vernunft, hochfliegende Träume durch realistische Logik, wilden Ehrgeiz durch die Freude am „kleinen Habe", die Fähigkeit, anständig mit materiellem Wohlstand umzugehen. Er tat das alles mit der Geschicklichkeit und Beharrlichkeit eines Handwerkers, Schritt für Schritt, ohne die ihn beschränkenden Hindernisse und Grenzen zu übersehen. Er spielte die entscheidende Rolle bei der Umwandlung eines einst provisorischen westdeutschen Staates in eine festgegründete Demokratie. Das war und ist ein Segen für Europa und das deutsche Volk.

Herbstzeit-Rose (1963)

Horst Osterheld

Der Politiker
Dokumentation eines Lebensweges

Adenauers Vorfahren stammen aus der Voreifel. Sein
Großvater väterlicherseits betrieb eine kleine Bäckerei
in Bonn. Der Vater, der früh Waise geworden war, hatte
die Laufbahn eines Berufssoldaten eingeschlagen mit
dem Ziel, später mittlerer Beamter zu werden. In der
Schlacht von Königgrätz 1866 wurde er schwer verwun-
det. Man fand ihn zwischen Toten und Verwundeten,
eine erbeutete österreichische Fahne in der Faust.
Wegen besonderer Tapferkeit wurde er zum Offizier
befördert, eine Auszeichnung, wie sie in jenem Feldzug
nur noch ein weiteres Mal verliehen wurde. Kurz darauf
lernte er die sechzehn Jahre jüngere Helene Scharfen-
berg kennen, die Tochter eines kinderreichen Kölner
Bankbeamten. Da sie die Kaution, die von Offizieren vor
der Heirat gestellt werden mußte, nicht aufbringen
konnten, mußte Adenauers Vater zwischen Karriere und
Neigung wählen. Er folgte seinem Herzen. Als Justizbe-
amter brachte er es zum ersten Sekretär am Oberlandes-
gericht in Köln und zum Kanzlerrat – ein für die
damaligen Verhältnisse beachtlicher Aufstieg. Die Erfolge seines Sohnes hat er nicht mehr erlebt.
Aber er tat das Seine, um sie möglich zu machen. Er
kümmerte sich um die Erziehung seiner Kinder und lebte
ihnen, zusammen mit seiner Frau, die Grundsätze vor,
auf die er sein Leben gestellt hatte: Fleiß, Frömmigkeit,
Sparsamkeit und vor allem Pflichterfüllung. Der Vater
war wortkarg, die Mutter fröhlicher, beide mit einem

Schuß jähzornigen Temperaments.

In diese Familie wurde Konrad Adenauer am 5. Januar 1876 als drittes von vier Kindern hineingeboren.

Nach heutigen Begriffen, meinte er später, sei seine Erziehung sehr streng und die Lebensführung sehr einfach gewesen. Aber Herzlichkeit und Wärme glichen aus. Es wurde gemeinsam getragen und gemeinsam gestrebt. Alle Kinder konnten das Gymnasium besuchen, die drei Söhne sogar studieren.

Schon in Elternhaus und Schule wurde politisiert, und der Kulturkampf und die Sozialistengesetzgebung haben sich Adenauer tief eingeprägt.

Er war ein guter, aber kein Musterschüler; kein Spielverderber, aber ein ernster, zeitweise schüchterner junger Mann; er schloß sich nicht leicht an.

Als Schüler legte er sich mit zusammengesparten Pfennigen eine Sammlung von Kunstdrucken an. Er lernte Malerei und Musik kennen und beschäftigte sich mit ihnen bis in seine letzten Tage. Von Kind an fühlte er sich der Natur verbunden. In ihr wurde er ausgeglichen und froh. Er vertraute „der Weisheit der Erde", und „die wunderbare Größe der Natur, die Kraft, mit der sie in jedem Frühling durchbricht", erfüllten ihn immer wieder mit neuem Mut. Neben der Familie waren die Natur und die Kunst — ein Leben lang — die beständigsten Quellen seiner Freude.

Von 1894–97 studierte Adenauer Jura und Volkswirtschaft in Freiburg, München und Bonn. In dem Freiburger Semester brachen er und zwölf Kommilitonen an einem Samstagmittag zu einer Schwarzwaldwanderung auf. Sie wollten den Feldberg ersteigen, nach einer ›Kneipe‹ und zwei Stunden Schlaf weitermarschieren und am Sonntagabend in Freiburg zurück sein. Nur drei Studenten hielten die Gewalttour von 85 km durch. Nur einer erschien am Montagmorgen im Kolleg: Adenauer.

Während seiner beiden Münchener Semester besuchten er und einige Freunde fast täglich die Pinakothek; „wir kannten jedes Bild genau." In den Ferien lernte er die Schweiz, Italien und Böhmen kennen, meist durch Fußwanderungen. Mit Raimund Schlüter, einem westfälischen Bauernsohn, Jurastudent gleich ihm, schloß Adenauer damals die engste Freundschaft seines Lebens, die allerdings schon einige Jahre später durch den frühen Tod des Freundes endete.

Um den Eltern nicht unnötig zur Last zu fallen, machte Adenauer 1897 das Referendarexamen in der kürzest möglichen Zeit. In den letzten Monaten paukte er Tag und Nacht. Wenn er müde wurde, stellte er die Füße kurz in kaltes Wasser und arbeitete weiter.

In seine Referendarzeit fällt eine religiöse Krise. Zu ihrer Überwindung halfen ihm die Bücher des Schweizer Juristen und Philosophen Hilty. „Handele recht", lautete dessen Rat, „so wirst du bald glauben können"; nicht das Studium der korrekten Lehre sei der beste Weg, sondern das praktische Christentum, das Handeln aus christlichem Geist. An diese Maxime, die seinem Wesen entgegenkam, hat sich Adenauer zeitlebens gehalten. Er war nicht klerikal, nicht einmal fromm im streng kirchlichen und theologischen Sinn; aber der christliche Kern war fest. Religiöse Themen beschäftigten ihn bis an sein Ende.

Nach dem Assessorexamen (1901) arbeitete er kurz bei der Staatsanwaltschaft und dann zwei Jahre bei einem Rechtsanwalt. In jener Zeit, in der er mehr als sonst am gesellschaftlichen Leben teilnahm, lernte er Emma Weyer kennen, die Tochter einer alten, angesehenen Kölner Familie. 1902 verlobten sie sich; 1904 heirateten sie. Seine finanziellen Mittel suchte er durch Erfindungen aufzubessern, unter anderem durch ein Patent für eine Reaktions-Dampfmaschine (1905), in der wohlwollende Betrachter bereits eine Vorstufe des Düsenantriebs erkennen. Auch wenn das zu hoch gegriffen ist, so erwarb er bei dieser und späteren Erfindungen doch erstaunliche Kenntnisse in Physik und Chemie, mit denen er noch als Kanzler seine Kollegen gelegentlich verblüffte.

Sein Hauptinteresse galt freilich dem beruflichen Weiterkommen. Und als er, der inzwischen als Hilfsrichter tätig war, 1906 hörte, daß in der Kölner Stadtverwaltung eine Beigeordnetenstelle frei war, wandte er sich an Justizrat Kausen, den Vorsitzenden der Zentrumsfraktion, in dessen Anwaltsbüro er lange gearbeitet hatte. Der schlug ihn der Stadtverordnetenversammlung vor, und Adenauer wurde im März 1906 gewählt. Er trat damit in den öffentlichen Dienst, für den er wie kaum ein anderer geschaffen war und den er nicht mehr verlassen sollte.

Schon nach drei Jahren wurde er mit großer Mehrheit zum Ersten Beigeordneten Kölns gewählt. Da der Oberbürgermeister oft in Berlin sein mußte, liefen die Fäden der Stadtverwaltung bald in Adenauers Hand

Seite 71 oben:
Im September 1955 besuchte Konrad Adenauer mit einer großen deutschen Delegation die Sowjetunion. Von links nach rechts: Ministerpräsident Bulganin, Konrad Adenauer, Walter Hallstein, Generalsekretär Nikita Chruschtschow, Kurt Georg Kiesinger, Suslow

Seite 71 unten:
Gespräche der deutschen Delegation mit den Sowjets im Garten der Datscha.

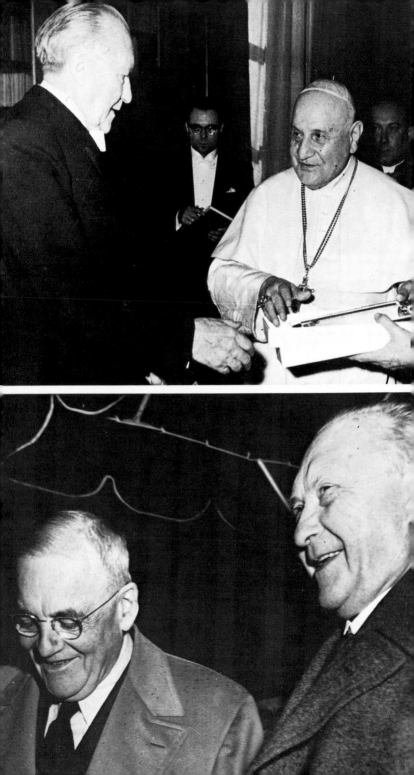

zusammen. Außer dem Finanz- und Personaldezernat übernahm er nach dem Kriegsausbruch 1914 auch das Ernährungsdezernat.

Er wurde nicht eingezogen. Seiner schwachen Lunge wegen hatte er nicht als Soldat zu dienen brauchen und war 1898 nur landsturm-tauglich befunden worden. Das mag ihn zeitweise bedrückt haben; 1914 aber war seine Position so wichtig wie irgendeine an der Front. Schon drei Monate nach Beginn des Krieges empfahl er, da er, entgegen der allgemeinen Erwartung, nicht mit einem baldigen Ende der Kämpfe rechnete, die Rationierung der Lebensmittel. Als er mit diesem Vorschlag in Preußen keinen Erfolg hatte, schloß er mit den Landwirten rund um Köln Verträge über die Lieferung von Lebensmitteln gegen Saatgut und Düngemittel, gab ihnen städtisches Vieh „in Pension" und machte Köln so zur bestversorgten deutschen Stadt.

Doch der Krieg wurde immer verbissener und forderte immer blutigere Opfer; die Lasten wurden immer drückender; in den „Steckrüben-Wintern" begann der Hunger.

Privater Kummer kam hinzu. Seine Frau, die ihm drei Kinder geboren hatte, starb 1916. Trotz größter dienstli-

Seite 72 oben:
Audienz bei Papst Johannes XXIII. (1960).

Seite 72 unten:
Konrad Adenauer bei einem Staatsbesuch in den USA: Begrüßung durch den amerikanischen Außenminister John Foster Dulles.

cher Beanspruchung hatte er sie lange an ihrem Krankenbett rührend gepflegt.

Wenige Monate später erlitt er einen ernsten Verkehrsunfall, durch den er dann das leicht indianerhafte Aussehen bekam. Da der Posten des Oberbürgermeisters gerade frei geworden war, schickten die Stadtverordneten zwei „Späher" ins Sanatorium, um festzustellen, ob Adenauer noch andere Schäden davongetragen hätte. „Anomal bin ich nur äußerlich", begrüßte sie Adenauer spöttisch. Und im Herbst 1917 wurde er, seiner hervorragenden Leistungen wegen (bei zwei Stimmenthaltungen) einstimmig gewählt. Ein stolzer Tag. Mit 43 Jahren war er der jüngste Oberbürgermeister Deutschlands – verantwortlich für 650000 Menschen.

Ein Jahr später kam der Zusammenbruch. Die Matrosen, die die Revolution Anfang November in Kiel ausgerufen hatten, schwärmten aus. Sie verhafteten den Gouverneur von Köln, das damals noch Festung war, öffneten das Militärgefängnis und konstituierten einen Arbeiter- und Soldatenrat. Adenauer war ganz auf sich gestellt. Er begann, mit den Aufrührern zu verhandeln und ließ sich von ihnen sogar zum Sicherheitsbeauftragten ernennen, das bot ihm die Handhabe, gegen Plünderer vorzugehen und ein Minimum an Ordnung aufrechtzuerhalten. Zugleich gründete er mit Bürgern aller Parteien einen „Wohlfahrtsausschuß" mit eigener Bürgerwehr, der den Arbeiter- und Soldatenrat langsam ausschaltete. Hochbrisant wurde die Lage durch Hunderttausende von Soldaten, die von der Westfront zurückströmten und deren Einheiten sich meist in Köln auflösten. Adenauer veranlaßte sie, ihre Waffen gegen Geld und Verpflegung abzuliefern. 300 000 Liter Alkohol, die in einem Heeresdepot lagerten, ließ er nachts in den Rhein laufen. Er hat Köln wahrscheinlich Schreckliches erspart.

Kaum war diese tumultuarische Situation überstanden — nicht zuletzt durch die britische Besetzung — als sich Adenauer weitaus größeren Problemen gegenübersah, nämlich dem Separatismus und der „Rheinlandbewegung" in ihren verschiedenen Schattierungen. Um die Richtung der künftigen Entwicklung mitzubestimmen, berief er die führenden Persönlichkeiten des Rheinlands zum 1. Februar 1919 nach Köln. In der wohl längsten Rede seines Lebens wandte er sich entschieden gegen einen selbständigen, souveränen Rheinstaat und sprach sich für die Bildung eines neuen Landes aus — etwa wie das spätere Nordrhein-Westfalen —, das zwar aus Preußen herausgelöst werden, im Reichsverband aber ausdrücklich bleiben sollte. Es gelang ihm, die Mehrheit von separatistischen Gedankengängen abzubringen; man beschloß die Bildung einer Kommission, die Einzelheiten ausarbeiten sollte, und wählte Adenauer zu ihrem Präsidenten. Als er dann merkte, daß die Selbständigkeitsbestrebungen im Rheinland an Schwung verloren, hat er die Kommission nicht ein einziges Mal einberufen.

Als die Separatisten am 1. 6. 1919 in Wiesbaden und Koblenz die souveräne rheinische Republik ausriefen und in der Pfalz Anschlußbewegungen an Frankreich entstanden, half Adenauer verhindern, daß diese Bewegung auf die britische Besatzungszone übergriff. Ein Separatistengericht verurteilte ihn deshalb zum Tode. Viele Jahre später kam eine Untersuchung der Nationalsozialisten, die ihm Separatismus gern angehängt hätten, zu einem negativem Ergebnis. Auch 1945 widersetzte sich Adenauer — um das gleich hier anzuführen — der Bildung eines souveränen Rhein-Ruhr-Staates.

Das Jahr 1919 brachte auch für Adenauers privates Leben einen neuen Anfang. Im September heiratete er Gussi Zinsser, die Tochter eines Professors, die in der

Nachbarschaft wohnte. Viel Glück und viel Leid sollte ihnen beschieden sein. Sie bekamen vier Kinder. Er hat seine zweite Frau, die achtzehn Jahre Jüngere, um neunzehn Jahre überlebt.

Es übersteigt den Rahmen dieser Darstellung, die wirren, gärenden Jahre zu schildern, welche die Weimarer Republik in ihren Anfängen durchstehen mußte: den Hunger, das Elend, die Putschversuche von links und rechts, den Versailler Vertrag, die Reparationen, die Inflation, die Ruhrbesetzung und die kurzlebigen Regierungen. Aber diesen Hintergrund gilt es mitzusehen, wenn man beurteilen will, was Adenauer in Köln leistete, etwa die Wiedereröffnung der Universität, die 1797 geschlossen worden war, — und die Schaffung des Grüngürtels. Anstelle der Befestigungsanlagen, die geschleift werden mußten, wollte er einen großen Park schaffen, über 20 km lang, durchschnittlich einen km breit, „eine grüne Lunge", die er durch einen breiten Waldstreifen sogar mit dem Vorgebirge zu verbinden trachtete. Ein kühner, praktisch vorbildloser Plan. Nachdem er mit den Briten, mit Preußen und dem Reich erfolgreich verhandelt hatte, stieß er in Köln auf erbitterten Widerstand. Interessenverbände aller Art liefen Sturm und reichten Klage auf Klage ein. Ein Teil der Stadtverordneten war ergrimmt, weil Adenauer ohne ihr Wissen verhandelt hatte; seine eigene Fraktion lehnte ab. Aber Adenauer ließ nicht locker; „ich wollte die Menschen aus den Gassen und Straßen befreien", sagte er später, „ich wußte, daß ich für eine gute Sache kämpfte." Und er setzte sich durch. Er selbst hielt den Grüngürtel für seine größte Leistung in Köln.

Daneben kümmerte er sich um die Anlage von Schrebergärten und trieb den sozialen Wohnungsbau mit Nachdruck voran: „In einer unzureichenden Wohnung", sagte er zu einem Pfarrer, „können die zehn Gebote nicht

76

gehalten werden." Den Sport hielt er für „den Arzt am Krankenbett des deutschen Volkes"; und er schuf nicht nur das erste Sportstadion Deutschlands, sondern darüber hinaus fünfzig weitere Sportanlagen. Um die Wirtschaft voranzubringen, richtete er die Kölner Messe ein, baute einen neuen Rheinhafen und holte Ford sowie eine Reihe anderer Industriebetriebe nach Köln. Er eröffnete die erste Presse-Ausstellung der Welt und führte so umfangreiche Eingemeindungen durch, daß Köln, nach Berlin, zur flächenmäßig größten Stadt Deutschlands wurde. Nachdem es mit seiner Vaterstadt jahrhundertelang bergab gegangen war, brachte er sie, gleichsam über Nacht, wieder in eine Spitzenposition.

Er wurde über die Grenzen Kölns hinaus bekannt. Von 1920 bis 1933 war er Präsident des Preußischen Staatsrats. Früh, wenn auch vergeblich, plädierte er als Mann des katholischen Zentrums für eine überkonfessionelle christliche Partei. Mitte der zwanziger Jahre bemühte er sich um eine Aussöhnung mit Frankreich und setzte sich für eine „organische Verflechtung der Schwerindustrien Frankreichs, Luxemburgs und Deutschlands" ein, ein Ziel, mit dem er den späteren Schuman-Plan vorwegnahm.

Adenauer machte sich als Kommunalpolitiker einen solchen Namen, daß er von 1921 an mehrfach als Reichskanzler im Gespräch war, am konkretesten 1926, als die Ernennungsurkunde schon vorbereitet war. Es ist nicht sicher, ob sich in letzter Minute nicht noch Hindernisse aufgetürmt hätten; sicher ist, daß er die Nagelprobe nicht machte und das Amt ausschlug, weil ihm die parlamentarische Basis zu schmal war. Keiner, weder er, noch die, die den „galligen, zähen Adenauer" nur halben Herzens nach Berlin gerufen hatten, waren sich der Tragweite des Entschlusses bewußt — der übrigens beweist, daß Adenauers Ehrgeiz nicht übersteigert war, daß er zwar in „seinem" Kreis stets der Erste sein wollte, daß ihn aber höhere Verantwortungen, etwa in Preußen oder für das gesamte Reich, nicht unbedingt lockten. Hätte er, wäre er Reichskanzler geworden, nicht möglicherweise verhindert, daß Hitler an die Macht gekommen wäre? Was für Perspektiven!

Aber er entschied anders und blieb in Köln. Er leistete weiterhin Großartiges, stieß aber auch auf wachsende Kritik, finanzieller Dinge wegen und vor allem wegen seiner Neigung zu Selbstherrlichkeit und gelegentlich rücksichtslosem Umgang mit Menschen. 1929 wurde er nur ganz knapp wiedergewählt.

Da war allerdings die etwas künstliche Blüte der späten zwanziger Jahre auch schon vorüber. Mit dem New Yorker Börsenkrach begann die Weltwirtschaftskrise, die die Weimarer Republik nicht überstehen sollte. Adenauer spürte, daß Deutschland einem Strudel entgegentrieb; vergeblich versuchte er gegenzusteuern, so gut es ging. Wiederholt drängte er Reichskanzler Heinrich Brüning zu großzügiger Arbeitsbeschaffung und einem freiwilligen Arbeitsdienst. Als nichts geschah, führte er beides wenigstens in Köln ein. Nicht Hitler, sondern er baute die erste Autobahn in Deutschland, nämlich die von Köln nach Bonn. Was Adenauer für seine engere Heimat aber auch noch bewirkte, für das Reich fiel es nicht mehr ins Gewicht. Die Zahl der Arbeitslosen stieg auf über sechs Millionen. Mit Notverordnungen war dem Elend nicht mehr beizukommen. Braune und rote Kolonnen beherrschten die Straßen; die demokratischen Kräfte wagten nicht, sich entgegenzustellen — so kam Hitler an die Macht.

Auch Adenauer hat die Nationalsozialisten unterschätzt, sonst hätte nicht auch er zeitweise gemeint, man könne sie „einbinden" und „zähmen", wie es bei den Arbeiter- und Soldatenräten gelungen war. Doch sah er auch ihre Gefährlichkeit, und zwar deutlicher als die meisten anderen bürgerlichen Politiker; das Maß an Brutalität, das sie nach 1933 an den Tag legten, hatte freilich auch er nicht für möglich gehalten.

Wäre er sonst nach dem 30. Januar 1933 vorsichtiger gewesen? In der Form wahrscheinlich, in der Sache nicht. Schon wenige Tage nach der „Machtergreifung" verlangten die Nazis die Auflösung des Preußischen Landtags, um im größten Land der Weimarer Republik die Mehrheit zu bekommen. Dem sollte Adenauer in seiner Eigenschaft als Präsident des Preußischen Staatsrats zustimmen. Da er die Auflösung für verfassungswidrig hielt, weigerte er sich — mit dem einzigen Erfolg, daß er sich den Haß der neuen Machthaber zuzog.

Am 17.2.1933 war Hitler in Köln angesagt, um auf Großkundgebung für die bevorstehenden Reichstagswahlen zu sprechen. Adenauer stellte sich auf den Standpunkt, daß Hitler nicht als Reichskanzler komme, sondern als Vorsitzender einer — mit dem Zentrum konkurrierenden — Partei, empfing ihn also nicht persönlich am Flugplatz, sondern ließ sich durch einen Beigeordneten vertreten. Diesen Affront überbot Adenauer noch dadurch, daß er Hakenkreuzfahnen, die die SA ohne Genehmigung auf der Rheinbrücke gehißt hatte, herunterholen ließ — auch wenn er dann zugestand, daß sie vor der Messehalle, wo Hitler sprechen wollte, wieder angebracht wurden. Die Nationalsozialisten waren wütend und erklärten ihn nach der Reichstagswahl vom 5. März, durch die sie erstmals stärkste Partei in Köln wurden, zum „Volksfeind und Verbrecher." „Zu seinem Schutz" installierte man eine sechsköpfige SA-Wache in seinem Haus. In erschreckender Weise zeigte sich, wie widerstandslos sich die meisten der Gewalt beugten — wie ein Kornfeld im Wind, und wie rasch viele, einige sogar eifrig, auf den neuen Kurs einschwenkten. Um Adenauer, dem die Menge noch zwei Wochen zuvor beim Karneval zugejubelt hatte, entstand tödliche Leere.

Man suchte, ihn zum Rückzug zu zwingen, ihn mit Pensionszusagen zu locken. Aber Adenauer blieb. Er harrte bis zur Kommunalwahl aus, die eine Woche später, am 12. März, stattfand. Noch am Abend vor den Wahlen hatte ihm der Polizeipräsident sein und seiner Offiziere Wort gegeben, „ihn bis zum letzten Mann zu verteidigen." Als Adenauer kaum 24 Stunden später um Schutz bat, da er Grund zu der Annahme hatte, daß man ihn am nächsten Morgen im Büro verhaften oder gar aus dem Fenster stürzen wollte, konnte man — es war in Berlin angefragt worden — „leider gar nichts tun." Am Montag, dem 13. März, stahl sich Adenauer in aller Frühe, an der schlafenden SA-Wache vorbei, aus seinem Haus und begab sich nach Berlin. Er ging zu Göring und wehrte sich gegen Absetzung und Ausweisung. Ohne Erfolg.

Ausgestoßen

Adenauers Konten waren gesperrt; er bekam kein Gehalt. Ohne die unerwartete, großzügige Hilfe des jüdischen Fabrikanten Heinemann, den er nicht einmal gut kannte, wäre seine Lage sehr schwierig geworden. Um von der Bildfläche zu verschwinden, ging er Ende April in das Kloster Maria Laach, dem sein Schulfreund Ildefons Herwegen als Abt vorstand. Bis dahin war sein Leben ständig bergauf gegangen, in eine Höhe, die er sich in seiner Jugend nicht hätte träumen lassen. Nun hatte er einen ungeheuren Sturz erlebt, nach dessen Ursachen er in der klösterlichen Einsamkeit zu forschen begann — und nach den Grundlagen für eine neue Ordnung. Zehn Monate verbrachte er, oft in der

Mönchszelle allein, eine schwere, aber wie er später bemerkte, „für Charakter und seelische Entwicklung auch wohltätige Zeit"; sie hat sein Wissen und Gewissen gestärkt.

Aber der Zufluchtsort wurde bekannt. Da Adenauer den Orden nicht gefährden wollte und außerdem unter der Trennung von der Familie litt, verließ er Maria Laach und zog mit den Seinen im Frühjahr 1934 nach Neubabelsberg. Nur wenig später, anläßlich des Röhm-Putsches vom 30. 6., wurde er verhaftet. Obwohl er keinerlei Beziehungen zu den Verschwörern hatte, rechnete er damit, „auf der Flucht erschossen zu werden", weil Hitler jene Gelegenheit benutzte, um einige hundert Mißliebige und Gegner zu „beseitigen." Aber Adenauer hatte Glück und kam wieder frei. Er wußte nun, wie gefährdet er war und reiste lange kreuz und quer durch Deutschland, bis er in Rhöndorf am Rhein in einem Seitental ein Haus mieten konnte, in dem sich die ganze Familie wieder vereinigte und — von dem aus man mit zwei Schritten im Wald sein konnte. Nach kurzer Zeit wurde er aus dem Regierungsbezirk Köln erneut ausgewiesen, und es dauerte einige Zeit, bis er in dem Rheinstädtchen Unkel, nicht weit von Rhöndorf, Unterschlupf fand. Die Familie konnte ihn fast täglich besuchen; aber die anderthalb Jahre Verfemung hatten den erfolggewöhnten Mann erschüttert. Er war fast 60 Jahre alt; er hatte Berufsverbot. Die Hoffnung, den Untergang der Nazi-Diktatur zu erleben, wurde immer schwächer. Zweifel zehrten an ihm. Am Buß- und Bettag 1935, so erzählte er später, regnete es von früh bis spät. Der Rhein führte Hochwasser. Die grauen Fluten sahen trostlos aus, und ebenso trostlos erschien ihm die Zukunft, seine eigene, die seiner Familie und die seines Landes. Er war allein und drohte der Verzweiflung zu erliegen. Da griff er zufällig zu dem „Taifun" von Josef Conrad, und das

Beispiel des Kapitäns in dieser Erzählung richtete ihn auf. Nicht Klugheit rettete jenen im Kampf mit dem Sturm, nicht das Wissen um den Ausgang, sondern Geduld und Ausdauer, das Standhalten allein. Das gab Adenauer Mut. Er harrte aus; und die Umstände besserten sich tatsächlich für ihn.

In zähen Verhandlungen erreichte sein Bruder, daß er zu seiner Familie zurückkehren konnte. Abfindungen für seine in Köln beschlagnahmten Häuser und die vorenthaltene Pension setzten ihn instand, sich in Rhöndorf ein Haus zu bauen, das, wenn auch erweitert, heute noch steht. Als es 1937 fertig war, begann für ihn eine ruhige Zeit. Er kümmerte sich um die Familie und die Erziehung der Kinder, machte „Erfindungen" und schleppte Steine für die Mauern in seinem großen Garten herbei, dem er sich intensiv widmete und den er mit Rosen verschönte. Der weite Blick über das Rheintal hin „tröstete und befreite" ihn. Es hätte eine glückliche Zeit sein können, wenn das politische Klima nicht immer bedrückender geworden wäre. Die Westmächte hatten die militärische Besetzung des Rheinlands durch Hitler geschehen lassen und dem Diktator, „der seine Landsleute peinigte und versklavte", drei Monate später bei den Olympischen Spielen sogar „zugejubelt und gehuldigt." Adenauer sah „mit Erschütterung und Empörung, wie der Westen den groß machte, der ihn bald in einen furchtbaren Krieg verwickeln würde."

Hätte er in einer Widerstandsgruppe mitmachen sollen? Seine Post, sein Telefon und die Besucher wurden überwacht. Er zweifelte am Talent und an der Verschwiegenheit einiger Widerstandskämpfer. Vor allem aber wußte er, daß Hitler von innen nicht zu stürzen war. Adenauer hatte keinen Hang zum Abenteuerlichen. Er stand, wie er später einmal sagte, dem Tod ziemlich gleichmütig gegenüber; aber er suchte ihn nicht. Von sich aus beschwor er keine Situation herauf, bei der es um Tod und Leben ging; er war kein Märtyrer.

Er ging auch nicht ins Ausland. Einflußreiche Beziehungen dorthin besaß er nicht. Er wollte, „gleichgültig, was kommen würde, bei seiner Familie und seinem Volk bleiben und alles mitmachen, was die Zukunft bringt."

Sie brachte den Krieg und für ihn ähnliches, wie für Millionen anderer — bis er im August 1944, im Zusammenhang mit dem Aufstand vom 20. Juli, zum zweiten Mal verhaftet und in das Gestapolager Köln-Deutz gebracht wurde. Mit einem Mal wurde es sehr ernst; Menschenleben galten weniger denn je. Er wäre wahrscheinlich in ein großes Konzentrationslager verlegt worden und dort umgekommen, wenn er nicht die Einlieferung ins Krankenhaus erwirkt hätte. Von dort floh er in eine einsame Mühle im Westerwald. Glaubte er, der Gestapo entgehen zu können? Er rechnete mit rascherem Vormarsch der Alliierten — und dieser Irrtum hatte tragische Folgen. Der Töchter wegen, deren sich die Gestapo bemächtigen wollte — Sippenhaftung war ja eines der niederträchtigsten Mittel jener Zeit — mußte seine Frau den Fluchtort verraten. Und obwohl ihre Entscheidung richtig war, hat sie es nie verwunden; sie ist daran zerbrochen.

Am Tag ihrer Silberhochzeit, am 25. September 1944, befanden sich beide, ohne voneinander zu wissen, in demselben Gestapogefängnis. Frau Adenauer wurde früher entlassen; Adenauer selbst blieb neun Wochen. Von 60 Männern, die mit ihm inhaftiert waren, wurden 27 gehängt und einer erschossen. Er — für den sich seine Söhne und Töchter energisch verwandt hatten — durfte Ende November nach Hause. Dort fanden sich immer mehr Kinder und Enkel zusammen. Gegen Ende der Kriegshandlungen gerieten sie unter Artilleriebeschuß. Das eigene Leben gefährdend, verbarg die Familie

Adenauer vier geflüchtete französische Kriegsgefange-
ne. Aber endlich, im März 1945, waren die amerikanischen Panzer da.

Ein neuer Anfang

Adenauer war auf der weißen Liste der Amerikaner
die Nummer Eins. Eine ihrer ersten Taten bestand darin,
ihn wieder an die Spitze Kölns zu stellen. Welche
Gefühle mochten ihn beseelen, als er den Posten erhielt,
den wiederzuerlangen, er zwölf finstere Jahre hindurch
immer erhofft und ersehnt hatte?

Aber Adenauer neigte nicht zum Überschwang. Die
Not war auch zu groß. Von den 750 000 Menschen, die
1939 in Köln gelebt hatten, befanden sich nur noch
32 000 auf dem linken Rheinufer; auf dem rechten
wurde noch geschossen. Von den 59 000 Gebäuden war
mehr als die Hälfte völlig zerstört; nur 300 waren
unversehrt geblieben. Das Elend war ungeheuer. Und
Trümmer über Trümmer. Adenauers Arbeitstag betrug 16 bis 18 Stunden. Er hatte kaum Hilfskräfte,
kaum Hilfsmittel; aber er nahm sich der tausend Einzel-
sorgen, die an ihn herangetragen wurden, ebenso an wie
der großen Probleme. Sofort nach Kriegsende schickte er
die Stadtomnibusse in die Konzentrationslager Buchen-
wald, Dachau und Theresienstadt, um die gequälten
Überlebenden so rasch wie möglich heimzuholen. Er
betrieb die Wiederherstellung der Brücken über den
Rhein und arbeitete gleichzeitig bereits an Plänen für
einen großzügigen, weit vorausschauenden Wiederaufbau der Stadt. Daneben organisierte er das Zurückholen
der Bilder der Kölner Schule, die zum stolzen Besitz der
Stadt gehört hatten, aus der Burg Hohenzollern — und
zwar, um den Gefahren der Zeit zu entgehen, im
städtischen Leichenwagen.

Im Herbst wurden die Amerikaner durch britische

Besatzungstruppen abgelöst. Das Klima wurde strenger. Adenauer nahm es nur ungenügend zur Kenntnis; am 5. Oktober setzten die Briten ihn ab. Er hatte sich geweigert, den Grüngürtel abholzen zu lassen, weil die Brennstoffnot dadurch nur geringfügig gelindert, den Kölnern aber ein Schaden zugefügt worden wäre, der nur in Jahrzehnten gut gemacht werden konnte. Weitere Gründe waren ein Interview, das er englischen Journalisten tags zuvor über die allgemeine Lage gegeben hatte, sowie der Verdacht der Briten, daß er mit den Amerikanern noch in zu enger Verbindung stünde. Den Ausschlag gab wahrscheinlich ein früherer Stadtverordneter, der das Mißtrauen der Labourparty gegen Adenauer geweckt hatte. Mit ungerechter Begründung und unter ehrenrührigen Umständen wurde Adenauer abgesetzt. Er mußte Köln binnen acht Tagen verlassen; jede politische Tätigkeit wurde ihm untersagt.

Und mit einem Schlag entstand um den Mann, um den sich kurz zuvor Tausende gedrängt hatten, wieder einmal die Leere der Furcht. „Als ich Köln verließ", schreibt er in seinen Erinnerungen, „sagte mir niemand Lebewohl."

Es traf ihn diesmal härter als vor zwölf Jahren. Wie in einem Akt großer Gerechtigkeit war das Pendel der Geschichte zurückgeschwungen und hatte ihm noch einmal die Möglichkeit gegeben, für seine Vaterstadt zu wirken; mit Leib und Seele hatte er sich engagiert — da wurde er unerwartet und kalt gestürzt. Seine Frau war schwer erkrankt. Er selbst war fast siebzig Jahre alt. Er konnte nicht hoffen, die neuen Herren zu überleben. Hätten die meisten nicht endlich aufgehört?

Aber die Kräfte, die zwölf Jahre hatten brach liegen müssen, drängten nach Verantwortung und Betätigung. Zuviel lag ihm daran, in Ordnung zu bringen, was Vermessene und Verbrecher zerstört hatten. Er sah die Chance, endlich richtig zu bauen, was in der deutschen

Geschichte verhindert worden oder fehlgegangen war. Es war die wichtigste Probe seines Lebens.

Die politische Tätigkeit wurde ihm wieder erlaubt, allerdings nicht in Köln, und so blieb ihm nur der Weg in die Landes-, Zonen- und später die Bundespolitik.

Wie sah es damals in Deutschland aus?

Der Zusammenbruch war so total gewesen wie der Krieg. Fast zehn Millionen Deutsche waren umgekommen. Noch höher war die Zahl derer, die aus dem Osten hatten flüchten müssen. Millionen Verwundete, Witwen und Waisen; Millionen darbten noch in Kriegsgefangenschaft. Die Industrieproduktion betrug nur noch ein Drittel der von 1938, die Lebensmittelration täglich 1000 Kalorien; die Hälfte der Schüler litt an Tuberkulose. Dazu kamen Arbeitslosigkeit, Schwarzmarkt, Sittenverfall.

Ein Viertel des Staatsgebiets des ehemaligen Deutschen Reiches war bereits abgetrennt, der Rest in vier Zonen aufgeteilt, die, selbst nach Ansicht Winston Churchills, mindestens zwanzig Jahre besetzt bleiben sollten. Vom Herausoperieren des Ruhrgebiets war die Rede und von Plänen, wonach Schafe weiden sollten, wo bisher Schornsteine rauchten.

Diese beispiellose Katastrophe war nach Adenauers Überzeugung letztlich das Ergebnis der Abkehr vom Metaphysischen, von den Grundwerten des Christentums, die zu viele Deutsche mitgemacht hatten, unter gleichzeitiger Hinwendung zum rein Diesseitigen, Materialistischen, und im Zusammenhang damit : der Vergötzung der Macht und des Staates. Hier mußte angesetzt werden, wenn das deutsche Volk von innen heraus gesunden sollte. An die Stelle der materialistischen mußte die christliche Lebensauffassung treten. Für sie steht ja nicht der Staat im Mittelpunkt, sondern der Mensch. Für sie ist der einzelne nicht verachtetes

Werkzeug von Funktionären, sondern hat, als von Gott stammend und ihm verantwortlich, einen Wert, den auch das Kollektiv respektieren muß. Der Staat schuldet dem Individuum einen eigenen Raum, in dem es sich frei entfalten kann. Deshalb müssen die Grundrechte unverletzlich sein. Und es muß Aufrichtigkeit herrschen; wenn Adenauer eines gehaßt hat, dann die Tendenz totaler Regime, ihre Völker bewußt zu belügen.

Diese Grundsätze mußten von einer Partei vertreten und durchgefochten werden, einer Partei, die seiner Meinung nach beide christliche Konfessionen umfassen sollte sowie alle Stände und Schichten des Volkes.

Adenauer hat die Christlich Demokratische Union nicht gegründet, vielmehr entstanden nach dem Krieg an mehreren Orten fast gleichzeitig ähnliche Zusammenschlüsse; aber Adenauer war sehr bald der entscheidende Mann.

In Herford, im Januar 1946, beim ersten Treffen von CDU-Vertretern aus der ganzen britischen Zone, ergriff er entschlossen die Zügel. Als sich nämlich der Beginn der Tagung hinauszögerte, setzte sich Adenauer plötzlich auf den Stuhl des Präsidenten, den wahrscheinlich der Gastgeber, Bürgermeister Holzapfel, hatte einnehmen wollen, mit dem Bemerken, er sei wohl der älteste und dürfe sich als Alterspräsident betrachten. Das mißfiel manchem; Adenauer machte seine Sache aber so gut, daß er am Schluß der Tagung zum ersten richtigen Landesvorsitzenden gewählt wurde.

Schon in Herford hatte man die Grundfragen diskutiert. In Neheim-Hüsten, sechs Wochen später, traf man die Beschlüsse. Adenauer war kein Theoretiker; er sah und spürte tiefer und komplexer, als er formulieren konnte. Die richtigen Grundsätze für den Wiederaufbau hatte er aber solange in sich herumgetragen, daß er sie auch packend auszudrücken verstand.

Noch nicht einig wurde man in einigen wirtschaftlichen Fragen; im Laufe der folgenden Tagungen trug dann die Idee der sozialen Marktwirtschaft den Sieg davon. Nicht Adenauer hatte sie entwickelt, sondern Ludwig Erhard. Dessen mutiger Entschluß, im Zusammenhang mit der Währungsreform alle Fesseln der Planwirtschaft abzustreifen, wurde zur Initialzündung für den vielgerühmten deutschen Wiederaufbau. Adenauer erhob Erhards Lehre ins Parteiprogramm. Ihm selbst hatte das „machtverteilende Prinzip" vorgeschwebt, das weder dem Staat, noch dem einzelnen, noch Gesellschaften oder Organisationen zu viel Macht lassen wollte. „Alle ehrlich Schaffenden sollten mäßigen Besitz haben"; „jeder sollte Eigentum erwerben können und keiner zuviel." Es lohnt zu überlegen, ob nicht noch etwas Unangreifbareres als die soziale Marktwirtschaft herausgekommen wäre, wenn er es vermocht hätte, diese Auffassung zu einem System auszubauen und es werbend zu formulieren.

Es fehlt der Raum, den Aufbau der CDU zu schildern, als Adenauer die britische Zone abklapperte, unter ärmlichsten Bedingungen, landauf, landab. Auch so

Seite 89 oben:
Adenauer und de Gaulle: Die historische Umarmung nach der Unterzeichnung des Vertragswerkes.

Seite 89 unten:
Bundeskanzler Konrad Adenauer und Präsident Charles de Gaulle unterzeichnen am 23. Januar 1963 im Elysee-Palast das deutsch-französische Vertragswerk. Von links nach rechts: Gerhard Schröder, Konrad Adenauer, Charles de Gaulle, Georges Pompidou, Couve de Murville.

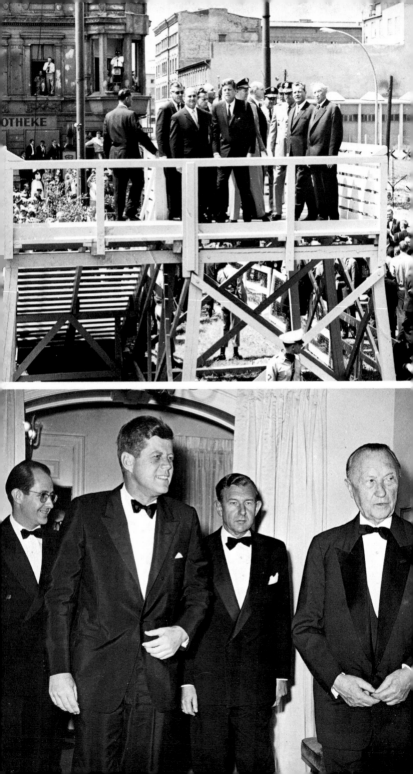

wichtige Dinge wie der Staatsstreich in der Tschechoslowakei 1948 und die Luftbrücke nach Berlin können nur
genannt werden, jener „großartigste Einsatz einer Luft-
waffe", der Stalins Versuch, Berlin abzuwürgen, verei-
telte. Mit diesen brutalen Anschlägen zerbrach die
Kriegsallianz. Die NATO wurde gegründet, der Zusammenschluß Westdeutschlands in Angriff genommen. Am
1. September 1948 trat der Parlamentarische Rat in
Bonn zusammen, der für die elf deutschen Länder eine
gemeinsame Verfassung ausarbeiten sollte. Adenauer
wurde Präsident, übernahm die Verhandlungen mit den
Militärgouverneuren und wurde so zum „Sprecher der
Bundesrepublik Deutschland." Am 8. Mai 1949, vier
Jahre nach der totalen Kapitulation, wurde das Grundgesetz verabschiedet, bei dem man sich die bitteren
Erfahrungen der Weimarer Verfassung zunutze gemacht
hatte.

Aus den ersten Bundestagswahlen am 14. August 1949
gingen die CDU und ihre bayerische Schwestern-
partei, die CSU, als stärkste Fraktion hervor. Acht Tage
später lud Adenauer führende Männer seiner Fraktion in
sein Haus, um die Frage der künftigen Regierung zu
erörtern. Die allgemeine Stimmung in Deutschland

Seite 90 oben:

*John F. Kennedy in Berlin (1963) bei der Besichtigung
der Mauer.*

Seite 90 unten:

*Washingtoner Besprechungen mit „voller Übereinstim-
mung" beendet (1961). US-Präsident John F. Kennedy
und Konrad Adenauer auf dem Weg zu einem Dinner in
der deutschen Botschaft in Washington mit Chefdolmet-
scher Weber und dem deutschen Botschafter Grewe.*

befürwortete eine große Koalition, um die Verantwortung nach den schrecklichen Erfahrungen der Vergangenheit auf möglichst viele Schultern zu verteilen. Adenauer dachte anders. Er war überzeugt, nur mit einer ziemlich homogenen Gruppe eine „klare Politik" treiben und kühne Entschlüsse fassen zu können. Er ging das Wagnis der kleinen Koalition ein — kaum einer sonst hätte es riskiert — und brachte die Mehrheit seiner Fraktion auf seine Seite. Er hielt diesen Entschluß für einen seiner wichtigsten.

Am 15. September 1949 wurde er mit nur einer Stimme Mehrheit zum ersten deutschen Bundeskanzler gewählt; die Mehrheit verdankte er seiner eigenen Stimme.

Der Bundeskanzler

Adenauer steckte sich zunächst fünf Ziele: den Aufbau der Wirtschaft und einer guten inneren Ordnung, die Rückgewinnung der politischen Handlungsfähigkeit, die Wiederaufnahme in die Völkerfamilie und die Verankerung der Bundesrepublik Deutschland im Lager der freien Nationen. Auf diese Ziele ging er schon einen Tag nach der Vereidigung seines ersten Kabinetts am 21. September 1949 los, indem er mit den Hohen Kommissaren, die damals noch die ganze Macht in Händen hatten, das Petersberger Abkommen auszuhandeln begann. Im Vordergrund stand die Demontage der großen deutschen Industriebetriebe. Wäre sie planmäßig weiter geführt worden, hätte es für die Wirtschaft hoffnungslos ausgesehen. Adenauer kämpfte um jede Werkhalle und jede Maschine. Das Ergebnis lohnte die Anstrengung: achtzehn große Werke wurden von der Demontageliste gestrichen, darunter die Bayer-Werke, die chemischen Werke Hüls und Gelsenberg, die Thyssenhütte, die Klöckner-Werke, der Bochumer Verein und die Ruhrstahl AG; in Berlin blieben sogar alle Werke erhalten. Ein riesiger Erfolg, „psychologisch fast ebenso wichtig wie materiell, nämlich für den Mut unserer führenden Wirtschaftler und für die Einsatzbereitschaft unserer arbeitenden Bevölkerung."

Schon während des Krieges hatte Adenauer angenommen, daß das Bündnis der Vereinigten Staaten und der Sowjetunion nach dem Krieg zerfallen und die Welt in einen demokratischen und einen kommunistischen Block geteilt würde. Ihm ging es darum, daß Deutschland nicht noch einmal unter ein materialistisches Regime geriet, sondern endgültig zu denen stieß, bei denen Recht und Würde des Menschen etwas gelten und eine demokratische Grundordnung garantiert ist.

Den Anschluß an den Osten wollten damals nur die Kommunisten; aber viele plädierten für Neutralität oder eine Brückenpolitik. Sie dachten, auf diese Weise die Wiedervereinigung Deutschlands eher zu erreichen; andere meinten, die Bundesrepublik Deutschland so aus dem drohenden Konflikt der beiden Riesenmächte heraushalten zu können; einige schließlich wollten gegebenenfalls von beiden Seiten profitieren. Adenauer hielt diese Erwägungen für falsch. Die Wiedervereinigung war, solange sich die Verhältnisse in der Welt nicht grundlegend wandelten, nur unter Preisgabe der Freiheit auch der Westdeutschen möglich. Eine „Brücken- oder Waagepolitik" aber hielt er für vermessen. So wie Deutschland die Zweifrontenkriege trotz ungeheurer Opfer zweimal verloren hatte, ja hatte verlieren *müssen* — so mußte eine Politik zwischen den beiden Blöcken die Deutschen in die Isolierung führen, auf längere Sicht in Abhängigkeit und vielleicht in eine neue Katastrophe. Eine lebenswerte Zukunft konnten sie nur im Zusammengehen mit dem Westen erwarten. Das Petersberger Abkommen war die erste große Weichenstellung.

Schon zwei Wochen später bereitete Adenauer eine weitere, noch kühnere und riskantere vor: In zwei Interviews stellte er Anfang Dezember 1949 einen deutschen Verteidigungsbeitrag zur Debatte. Es war, als hätte er in ein Wespennest gestochen. Der Osten schleuderte Verleumdungen; aber auch im Westen war man betroffen. Hatte man die Deutschen nicht gerade

Wundergärtner Konrad (November 1953)

demilitarisiert, ihre Rüstungsbetriebe demontiert, ihnen nur eine Polizei ohne Waffen zugestanden und jede Ausbildung verboten, die auch nur einen Hauch von Militärischem hatte? Am aufgebrachtesten war die Reaktion in Deutschland, nach allem, was man dort vor und nach 1945 hatte erleben müssen, wahrlich kein Wunder.

Adenauer war kein Militarist; aber er sah die Welt illusionslos. Auch diese heikle Frage „durfte nur rational, nicht emotional angepackt werden." Die Deutschen forderten die Garantie ihrer Sicherheit von den Alliierten. Auch Adenauer forderte sie. Aber er wußte, daß die Westmächte ihre Söhne für die Freiheit der Deutschen nicht ins Feuer schicken würden, wenn diese keinen eigenen Verteidigungsbeitrag zu leisten gewillt waren. Nur durch Aufstellung deutscher Truppen war auch erreichbar, daß die westliche Verteidigungslinie über den Rhein hinaus bis an die Ostgrenze der Bundesrepublik Deutschland vorverlegt würde. Weitere Vorteile wären die festere Bindung der USA an Europa und für die Bundesrepublik Deutschland ein entscheidender Schritt auf die Gleichberechtigung hin. Schließlich und vor allem gelänge so die Klammer, die das freie Europa unauflöslich zusammenhielte: denn Adenauer dachte weder an eine Nationalarmee, noch an deutsche Söldner in fremden Heeren — beides lehnte er vielmehr ausdrücklich ab —, sondern an „ein deutsches Kontingent (ohne eigenen Generalstab) in einer europäischen Armee."

Dieses Kontingent sollte das Bindeglied zwischen dem „Sicherheitskreis" und dem „Europakreis" werden; denn Europa wollte er auch und er gedachte, mehrere Ziele gleichzeitig anzusteuern: einmal nämlich den Schutz gegen westliche Annexionsgelüste, dann eine Sicherung gegen die eigenen gefährlichen Neigungen der Deutschen zu Ungeduld, Unzuverlässigkeit und

Wunschdenken; drittens die Erringung der vollen Gleichberechtigung, viertens die definitive Westbindung und, fünftens, vor allem, das Aufstoßen des Tors in eine weite Zukunft für das deutsche Volk und seine Nachbarn.

Niemand hatte damals ein so weitblickendes und zugleich realistisches Konzept.

Voraussetzung für beide Kreise war die Verständigung mit Frankreich. Sie war nicht leicht, zumal sich die Saarfrage als dornig und bitter erwies. Aber Adenauers kühne Erklärungen für eine enge Zusammenarbeit mit Frankreich vom Dezember 1949 und März 1950 sowie seine Bereitschaft, trotz aller Enttäuschungen und Erregungen immer wieder neue Wege zu suchen, trugen Früchte: Am 9. Mai 1950 traf der berühmte Brief Robert Schumans ein, der die Errichtung einer gemeinsamen Behörde für die deutsche und französische Montan-Industrie vorschlug. Kurz darauf, im August 1950, regte Churchill vor dem Europarat in Straßburg die Schaffung einer europäischen Armee an, die deutsche Truppen umfassen und in die NATO eingegliedert sein sollte.

Ähnlich verheißungsvoll ließ sich die Entwicklung im Innern an. Mehr als eine Million Arbeitsplätze hatte das Petersberger Abkommen gerettet. Fast dieselbe Anzahl wurde in Adenauers erstem Regierungsjahr geschaffen; bis 1963 wurden es mehr als neun Millionen neue Arbeitsplätze. Ein anderer Schwerpunkt war der Wohnungsbau. Schon im ersten Jahr wurden 550 000 neue Wohnungen errichtet, eine Rate, die in allen folgenden Jahren ziemlich genau gehalten werden konnte. Bis Ende seiner Regierungszeit entstanden über sechs Millionen neue Wohnungen, davon mehr als die Hälfte im sozialen Wohnungsbau. Die dreizehn Millionen Flüchtlinge und Vertriebenen wurden eingegliedert; den fünf Millionen Kriegsversehrten und -hinterbliebenen wurde geholfen;

Post, Bahn und andere Verkehrsanlagen wurden funktionstüchtig gemacht; die Rechtsordnung wiederhergestellt und verbessert — gigantische Aufgaben! Und dabei fehlte es zunächst ja an den einfachsten Hilfsmitteln, selbst an Tischen und Telefonen.

Ein harter Brocken war die Regelung des Mitbestimmungsrechts in der Montan-Industrie. Ausländische Interessen mischten sich ein; es drohten große Streiks, unabsehbare Risiken tauchten für die Wirtschaft und den inneren Frieden auf. Inmitten erbitterter Auseinandersetzungen mußte rasch und, trotz heftigster Bedrängnis, weitschauend entschieden werden; und schon im April 1951 kam das Gesetz zustande, „das unsrer Industrie dann zwanzig Jahre lang ein Maß an Befriedung gab, wie sie kein anderes westeuropäisches Land kannte." Die Verdienste des Vorsitzenden des Deutschen Gewerkschaftsbundes, Hans Böckler, der sich mit Leib und Seele einsetzte, die Verdienste Kurt Schumachers, des Vorsitzenden der Sozialdemokratischen Partei Deutschlands, und anderer werden durch die Feststellung nicht geschmälert, daß die Mitbestimmung erst Wirklichkeit werden konnte, als sich Adenauer einschaltete. Die Welt bewertete das Ergebnis der Bemühungen als „eine seiner staatsmännischen Glanzleistungen."

Ein weiteres gewaltiges Vorhaben war der Lastenausgleich, das heißt das Bemühen, diejenigen, die im Kriege alles oder viel verloren hatten, zu entschädigen, und zwar zu Lasten derer, denen größere Teile ihres Besitzes erhalten geblieben waren. Die Abgabe aller verbliebenen Vermögen sollte 50 Prozent betragen, die im Laufe von 30 Jahren aufzubringen waren. Man kann sich vorstellen, daß viele Sturm liefen und daß es Proteste hagelte. Aber Adenauer drängte: „Doppelt gibt, wer schnell gibt", mahnte er, und nach erbittertem Ringen wurde das Gesetz am 15. 5. 1952 doch beschlossen: die zweite wichtige Entscheidung zur inneren Befriedung, „ein nicht genug gewürdigtes, einmaliges Werk beispielhafter Solidarität", die größte friedliche Vermögensumverteilung, die es je gegeben hat.

Im allgemeinen lassen sich Fehler wesentlich leichter nachweisen als die Richtigkeit wertvoller, weiser Maßnahmen. Der außerordentliche Wert der Mitbestimmung, des Lastenausgleichs und der Eingliederung der Flüchtlinge dürfte allerdings offenkundig sein. Man braucht nur an andere Flüchtlingsheere in der Welt zu denken, um zu ermessen, welch schwärende Wunde dem deutschen Volk und welches Elend den 13 Millionen erspart geblieben ist, die aus den deutschen Ostgebieten und der sowjetischen Besatzungszone geflohen waren und im Westen aufgenommen und in befriedigender Form in Arbeit und Brot gebracht werden konnten. Viele von ihnen hatten ihre Aufnahme Adenauer zu verdanken; denn zwei der Hohen Kommissare hatten die Grenzen schließen wollen, weil es in der Bundesrepublik Deutschland ohnehin zu viele Arbeitslose gab, und Stalin die Ausweisung offenbar planmäßig betrieb, um Westdeutschland in unlösbare wirtschaftliche Schwierigkeiten zu stürzen. Aber Adenauer blieb hart: Der gequälten Menschen wegen hielt er die Grenzen offen.

Moralische Gründe waren auch für die Wiedergutmachung an die rassisch, religiös und politisch Verfolgten des Nazi-Regimes maßgebend. Die Toten konnten nicht ins Leben zurückgerufen, das namenlose Leid nicht ungeschehen gemacht werden; es konnte nur materieller Ersatz angeboten werden. Das führte zu Auseinandersetzungen; vor allem entstand um die Wiedergutmachung an Israel heftiger Streit. Arabische Staaten drohten mit Wirtschaftsboykott und politischen Sanktionen. Einflußreiche jüdische Kreise lehnten jedes Abkommen ab; sie wollten keine Versöhnung. Die Deutsche Partei, ein Koalitionspartner Adenauers, war geschlossen dagegen, die Freie Demokratische Partei zum großen Teil. Schon ein Ausscheiden der DP hätte ihm im Parlament den Boden entzogen. Aber Adenauer riskierte. „Man mußte nur durchhalten", bemerkte er 1965 im Rückblick auf jene kritische Situation. Für die Wiederherstellung des deutschen Ansehens in der Welt war es entscheidend.

Parallel liefen die Verhandlungen über die Wiedergewinnung der deutschen Souveränität, das heißt zunächst über die Revision des Besatzungsstatuts und dann über seine endgültige Ablösung im Deutschlandvertrag. Adenauer führte zahllose Besprechungen mit seinen Beratern, dem Kabinett, den Fraktionen und — oft tagelang — mit den Alliierten. Die letzte dauerte siebzehn Stunden ohne Unterbrechung. „Um Erfolg in der Politik zu haben", lautete eine seiner Lehren, „muß man länger sitzen können als andere"; und McCloy, der amerikanische Hochkommissar, erinnert sich an manche jener Sitzungen auf dem Petersberg „bis weit in die Nacht. Manchmal ging die Sonne über dem Rhein schon wieder auf . . . Adenauer war dann noch hellwach, während wir müde zu werden begannen."

Man muß sich vor Augen halten, was Adenauer in jenen Jahren nebeneinander und gleichzeitig betrieb: Hunderte von Gesetzen und Verordnungen zur Ankurbelung der Wirtschaft, den Aufbau einer guten inneren Ordnung, der Justiz und einer tüchtigen Verwaltung, die Mitbestimmung, den Lastenausgleich, die Wiedergutmachung nach innen und nach außen. Er parierte den sowjetischen Druck und erreichte die immer engere Verknüpfung mit dem Westen, den Montanvertrag, die Wiederbewaffnung, die Europäische Verteidigungsgemeinschaft und den Deutschlandvertrag — wobei hinzuzunehmen ist, daß er in jener Zeit nicht nur Bundeskanzler war, sondern bis 1955 zugleich Außen- und (amtierender) Verteidigungsminister: in der Tat „70 Prozent seines Kabinetts."

Es war Adenauers beste Zeit. Das Zusammenspiel seiner Fähigkeiten war optimal.

Er selbst hielt konsequentes, zielbewußtes Arbeiten von Jugend auf für seine beste Tugend. Für ihn galt nicht die 48-, sondern die 84-Stundenwoche. Dabei war seine Arbeitsintensität noch bemerkenswerter als die lange Arbeitszeit. Man wird kaum jemanden nennen können, der vierzehn Jahre lang so unentwegt und erbarmungslos gearbeitet hat wie er.

Er konnte es, weil er ein seltenes Regenerationsvermögen und eine unverwüstliche Gesundheit hatte. Bis zuletzt las er ohne Brille, hörte gut und seine Hände zitterten nicht. Die 58 Stufen zu seinem Rhöndorfer Haus stieg er zügig hinauf. Er bekam keine Verjüngungsspritzen, aber er hatte, wie die Ärzte sagten, „ein Herz wie ein Pferd" und „das Arteriensystem eines jungen Mannes." Nur so läßt sich das Stehvermögen erklären, das er in Wahlkämpfen, Sitzungsserien und in wochen- und monatelangen Strapazen bewies: zum Erstaunen aller Besucher, der Weltöffentlichkeit und, obwohl sie es wußten, immer wieder: seiner Mitarbeiter. Für das Zusammentreffen hoher politischer Begabung, Erfahrung und Weisheit sowie voller physischer Belastbarkeit gibt es kaum eine Parallele.

Er war Frühaufsteher und mäßig im Essen und Trinken. Ordnung spielte für ihn eine große Rolle; er brauchte sie und ordnete seine Umwelt. Er war ein Mann eiserner Selbstdisziplin; „und wenn Kanonen neben dir abgefeuert werden", hatte der Vater gelehrt, „hast du bei deiner Arbeit zu bleiben." Das war dem Sohn zur zweiten Natur geworden. Jeder Aufgabe wandte er die ungeteilte Aufmerksamkeit zu; nacheinander vielen hundert täglich. Er vermochte Ärger wegzuschieben, ihn wochenlang zu vertagen und ihn notfalls endgültig zu „verdauen." Selbst sein Mißtrauen wußte er zu beherrschen und sich zu Vertrauen zu zwingen. Er konnte sich in andere und anderes ganz versenken und, des abends spät, vor Gemälden oder bei Musik tief entspannen. Bis ins höchste Alter wußte er seine Kräfte fast ganz nach Wunsch zu handhaben, sie zurückzuhalten oder zu bündeln und bis zum Äußersten einzusetzen. Kein Wunder, daß, wer sich so in Gewalt hat, auch Macht über andere gewinnt.

Der Kanzler macht Urlaub am Bürgenstock
(August 1952)

Er ließ keine Minute ungenutzt. Aber trotz des geradezu pochenden Tätigkeitsdrangs wirkte er nie gehetzt; seine Gelassenheit und Überlegenheit machten vielmehr auf viele den stärksten Eindruck. Und diese Mischung aus brodelnder Energie einerseits und Selbstmeisterung andererseits war eine wesentliche Ursache für seine phänomenale Leistung.

Diese Eigenschaften wurden durch eine — für einen Politiker — recht glückliche Gefühlsstruktur ergänzt. Er war nicht sehr empfindlich, konnte seine Affekte durchweg beherrschen und seine Zunge zügeln.

Der „Grundton" war ernst. Aber wenn er am Erhabenen etwas Allzumenschliches sah oder am Schlimmen eine harmlose Zutat, dann mußte er schmunzeln. Er spöttelte gern, ein echter Rheinländer, und in viele seiner Reden, so ernst sie waren, geriet ein Stück Amüsement. Seine schlagfertigen Antworten gaben mancher Bundestagssitzung Farbe und seinen Pressekonferenzen die Würze. Der Humor, dieser Ausdruck von Menschlichkeit und innerer Sicherheit, war ein Gegengewicht zu dem schwermütigen und dem allzu harten Teil seiner eigenen Anlage; er milderte das Autoritäre, versöhnte und trug ihm viele Sympathien ein. Man wird seinen Wert für Adenauers politische Erfolge kaum zu hoch ansetzen können.

Er half ihm, zusammen mit seiner Weisheit („aus einer Verhandlung muß jeder etwas nach Hause bringen"), dem erstaunlichen Einfühlungsvermögen, seiner Aufrichtigkeit und Verläßlichkeit, Freunde zu gewinnen: unter den deutschen Politikern und in der weiten Welt. Adenauer hatte das Glück, auf eine ganze Reihe bedeutender und kooperativer Außenminister, Staats- und Regierungschefs zu stoßen. Aber wer die Welt kennt, weiß, daß es erheblichen eigenen Bemühens bedarf, um solche Begegnungen fruchtbar zu machen. Wenige Staatsmänner unterhielten einen so regen Briefwechsel wie er. Mit Sorgfalt kümmerte er sich um Programme und Aufmerksamkeiten und legte Wert auf regelmäßige Treffen. Diese politischen Freundschaften — für alle seien Dulles und de Gaulle genannt — haben ihm persönlich viel gegeben und den Deutschen sehr genutzt. Ohne die Achtung und das Vertrauen, das er bei amerikanischen, französischen, britischen und jüdischen Staatsmännern errang, wären die Erfolge seiner langen Kanzlerschaft nicht möglich gewesen und wäre die Bundesrepublik Deutschland von der Völkergemeinschaft nicht so rasch wieder angenommen worden.

102

Ohne sie hätte er auch den schwersten Schlag jener Jahre nicht so rasch überwinden können: das Scheitern der Europäischen Verteidigungsgemeinschaft, „die bitterste Enttäuschung seiner Regierungszeit", „eine Tragödie." Mit Unterstützung mehrerer befreundeter Regierungen und nach Adenauers Verzicht auf die Produktion von Atom-, biologischen und chemischen Waffen kam Entscheidendes zustande: Die Bundesrepublik Deutschland erhielt die Souveränität zurück und wurde Mitglied der NATO. Am 5. Mai 1955 ging vor dem Palais Schaumburg in Bonn die deutsche Fahne hoch, und vier Tage später, am zehnten Jahrestag der deutschen Kapitulation, wurde Adenauer im Palais Chaillot in Paris im NATO-Rat feierlich begrüßt.

Die Wahl 1953 hatte Adenauers Position wesentlich gestärkt. Sie hatte ihn aber nicht übermütig gemacht, und beharrlich baute er das Erreichte aus. Ohne die Westbindung zu gefährden, machte er im Herbst 1955 seinen berühmt gewordenen, dramatischen Moskau-Besuch, brachte Zehntausende von Gefangenen heim und erweiterte den politischen Bewegungsraum der Bundesrepublik Deutschland. Im Westen war es gelungen, die Brücken nach Frankreich intakt zu halten und die Rückkehr des Saarlandes gleichwohl zu ermöglichen. Durch die Römischen Verträge von 1957 wurde der Gemeinsame Markt ins Leben gerufen, der sich zu einer über Erwarten erfolgreichen und haltbaren Basis für die europäische Einigung entwickelte. Zur Sicherstellung des deutschen Wehrbeitrags mußte Adenauer, der Erzzivilist, das Wehrpflichtgesetz durchbringen, gegen eine breite leidenschaftliche Opposition.

Es würde zu weit führen, die Förderung der gewerblichen Wirtschaft und der Landwirtschaft zu schildern oder die vielen Gesetze, die die innere Ordnung ständig verbesserten. Die Einführung der dynamischen Rente war eine revolutionäre Tat. In der Bundestagswahl von 1957 erhielten CDU und CSU die absolute Mehrheit. Wäre sie nicht vielen zu Kopf gestiegen?

Es ist erstaunlich, wie immun Adenauer gegen Selbstüberschätzung war. Aber er hätte kein Mensch sein dürfen, wenn er nicht ein wenig leichtsinniger und bequemer geworden wäre. Das zeigte sich in der ersten Phase der „Bundespräsidenten-Krise" 1959, als sich Adenauer zu kandidieren entschloß. Er glaubte, auch als Bundespräsident den Kurs noch mitbestimmen zu können, nicht so stark wie de Gaulle nach der französischen Verfassung, aber doch wie eine Art Senior-Kanzler.

Er soll in jenen Wochen so müde und abgespannt gewesen sein wie nie zuvor und nicht danach. Wie verlockend muß es ihm erschienen sein, aus den Sielen heraus zu kommen und doch die „Kontinuität der Politik" (dieses Wort spielte eine große Rolle) auf lange sichern zu können — zumal er von der Annahme ausging, daß der sein Nachfolger würde, den er vorschlagen würde, also sicher nicht Ludwig Erhard. Aber diese Annahme stellte sich als ebenso falsch heraus wie die vom „Seniorkanzler". Als er seinen Irrtum erkannte, riß er das Steuer herum und blieb im Amt.

Wenn ihn dieses Hin und Her anfänglich auch Sympathien kostete, nach einiger Zeit tat es ihm zumindest im Volk keinen Abbruch mehr. Im Frühsommer 1961 galt es als ausgemacht, daß Adenauer wieder die absolute Mehrheit bekommen würde, wobei nur fraglich war, ob wieder mit 53 oder sogar mit 60 Prozent.

Bei den führenden Männern seiner Partei und seiner Koalition hat ihm die Bundespräsidentenkrise allerdings erheblich geschadet. Das hing mit seiner Neigung zu Selbstherrlichkeit und unerfreulicher Menschenbehandlung zusammen, die sich schon in seiner Zeit als Oberbürgermeister zeitweise als schwere Hypothek erwiesen hatten. Im Dritten Reich wird er sich vorgenommen haben, sich besser zu beherrschen, wenn er noch einmal an die Macht kommen sollte. Er tat es auch; aber er konnte sich nicht immer im Zaum halten. Zwar behandelte er auch die, mit denen er in Regierung und Partei häufig zu tun hatte, meist mit „weichem Handschuh" — gegen Fremde war er immer höflich und aufmerksam — aber gelegentlich gewann das Despotische in ihm die Oberhand, und er gab dem einen oder anderen „eins drauf", um zu zeigen, wer Herr im Haus war. Es geschah seltener, als man kolportierte, und Adenauer hat niemanden gebrochen oder mit langem Haß verfolgt; wenn es darauf ankam, entschied er sich durchweg für das Anständige. Aber die Schläge hatten gesessen und bei den Empfindlichen verheilten sie nicht leicht. Einige waren auch mißgünstig oder wollten selber an die Macht. Dazu reichte es damals noch nicht. Aber sie spähten fortan nach einer günstigen Gelegenheit.

Schon vor der Bundespräsidentenkrise hatte im November 1958 eine andere, wesentlich ernstere begonnen: die Berlin-Krise. In Adenauers Augen war sie eine Phase in dem jahrzehntelangen, zähen Bemühen der Sowjetunion, das westliche Glacis, das ihr im zweiten Weltkrieg zugefallen war, zu behalten und diesen Besitzstand von der Welt sanktionieren zu lassen. So war die „deutsche Frage" von Anfang an nichts anderes als der Versuch Moskaus, die Teilung Deutschlands festzuschreiben — während sich die Regierung der Bundesrepublik Deutschland anstrengen mußte, das zu verhindern.

Um die deutsche Frage ging es schon bei der Luftbrücke und bei dem Befreiungsversuch der Menschen in der damaligen sowjetischen Besatzungszone am 17. Juni 1953. Die deutsche Frage beherrschte die ganze Regierungszeit Adenauers, war Gegenstand zahlreicher Konferenzen, sehr vieler bilateraler Treffen und fehlte in keinem Gespräch Adenauers mit ausländischen Politikern.

Schon am 1. Februar 1950 hatte Adenauer einen Sonderbeauftragten für Berlin ernannt; wenig später wurde das Berlin-Hilfegesetz beschlossen. Im März 1950 hatte er vor der Weltöffentlichkeit gesamtdeutsche Wahlen gefordert, eine verfassunggebende Versammlung für ganz Deutschland, und die Westmächte noch im selben Jahr veranlaßt, die Bundesregierung als allein legitimiert anzuerkennen, für ganz Deutschland zu sprechen. Er wandte sich gegen alle Rapacki-, Kennan- und Disengagementpläne, die er ebenso „erschreckend unrealistisch" fand wie die verschiedenen Neutralisierungskonzepte. Deutschland ohne amerikanische Truppen und ohne NATO-Schutz mußte nach Adenauers Überzeugung für Moskau eine ständige Versuchung sein, sich einzumischen.

Es gelang Adenauer, von allen NATO-Staaten die vertragliche Zusicherung zu erhalten, sich für die Wiedervereinigung eines freien und demokratischen Deutschland einzusetzen. Aber im Zeichen der russi-

Seite 107 oben:
Konrad Adenauer im Gespräch mit dem französischen Außenminister Couve de Murville anläßlich eines inoffiziellen Besuches in Paris (1964).

Seite 107 unten:
Konrad Adenauer wird Ehrenbürger von Berlin. Übergabe der Urkunde durch den Regierenden Bürgermeister von Berlin, Willy Brandt, im Rathaus Schöneberg (1963).

schen Wasserstoffbombe und des Sputnik wurde es immer schwieriger, vom Westen, der einen natürlichen Wunsch nach Entspannung hatte, in der deutschen Frage Unterstützung zu bekommen. Seit 1958 spitzte sich die Lage um Berlin zu. Am 13. 8. 1961 begann die DDR mit dem Bau der Mauer in Berlin — ein schwerer Rückschlag im Ringen um Deutschlands Zukunft; besonders schlimm, weil er Adenauers Sturz einleitete.

An letzterem trug er freilich selbst Schuld. Wäre er gleich nach Berlin geflogen, hätte er die Bundestagswahl im September hoch gewonnen. Aber er zögerte. Dafür gibt es einige Erklärungen und Begründungen; entscheidend war jedoch, daß er die Stimmung der Deutschen verkannte. Sicher, er hätte in Berlin nicht viel ausrichten können; aber die meisten hatten das Empfinden, daß er an die Seite derer gehöre, die verzweifelt waren ob des schreienden Unrechts, das vor ihren Augen geschah und dem sie ohnmächtig zuschauen mußten. Sie erwarteten ein paar tröstende Worte, eine ruhige Hand, seine Präsenz. Als er nicht kam, wendete sich ein Teil der Empörung gegen ihn.

Er suchte seinen Fehler im Wahlkampf dann durch doppelten Einsatz auszugleichen; es gelang nicht mehr. Hätte die Wahl ein, zwei Wochen später stattgefunden, hätte er die absolute Mehrheit wahrscheinlich wieder erreicht. Aber er verfehlte sie; und mit einem Schlag waren alle Gegner wieder auf dem Plan, die von 1959 und eine Anzahl neuer. Jetzt sollte er weg!

Seite 108:
Der scheidende Bundeskanzler an seinem Schreibtisch am Morgen des 15. Oktober 1963 im neuen Arbeitszimmer im Bundeshaus.

Wiederholt stand es auf des Messers Schneide, bis er nach erbittertem Ringen, nach 51 gnadenlosen Tagen seine vierte Regierung bilden konnte; dabei hatte er versprechen müssen, noch vor Ende der Legislaturperiode zurückzutreten.

Schon ein Jahr später stürzte seine Regierung über die „Spiegel-Affäre." Wieder begann ein gewaltiges Tauziehen, bis er nach sechs Wochen seine fünfte Regierung zusammen bekam — nun definitiv nur noch für ein knappes Jahr. Und selbst diese Frist halbierte man, indem die CDU/CSU-Fraktion, in einem ungewöhnlichen Schritt, Erhard im April 1963 zum Nachfolger wählte. Von da an wurde es ganz einsam um den alten Herrn. Wer im Sommer 1963 in Bonner Gesellschaften noch für ihn sprach, war bald allein.

Das wirft die Frage auf, warum Adenauer das auf sich nahm, die Frage also nach seinen Antriebskräften.

Eine davon war Schaffenslust und Wunsch nach Selbsterfüllung, der Drang, die großen Gaben, die in ihm steckten, auch anzuwenden. Eine weitere Ursache war sein Machtbedürfnis; im Laufe der Jahre, in denen er die Macht so erfolgreich handhabte, war sie ihm zur Gewohnheit geworden.

Ein dritter Antrieb war sein Ehrgeiz, ein vierter das, was er „sachlichen Ehrgeiz" nannte, das heißt der ungeheure Wille, die Aufgaben „unter Anspannung aller Kräfte zu lösen." Eine fünfte Kraft war die Vaterlandsliebe. Er hielt die Deutschen für ein krankes Volk. Die letzten Generationen hatten zuviel mitmachen müssen: Überanstrengungen, zwei Katastrophen, unterschiedlichste Regierungen, widersprüchlichste Wertordnungen — es wäre für jedes Volk zuviel gewesen. Das Wichtigste war also, Ruhe zu schaffen und zu sichern, damit die Heilung von innen heraus erfolgen konnte — er war wie ein Arzt. Aus Verantwortungsgefühl — und das war seine sechste Antriebskraft. Er hatte kein Sendungsbewußtsein, dazu war er zu nüchtern und zu bescheiden; aber er empfand es als Pflicht, sein Bestes zu geben, nicht nur, um gute Arbeit zu leisten, sondern weil er die Verantwortung spürte, für das allgemeine Wohl tätig zu werden und „mitzuwirken, daß die von Gott gewollte Ordnung sich auf dieser Erde durchsetzt."

So war der gut gemeinte Rat von manchen, den „Kanzler auf Zeit" oder „Abruf" nicht zu akzeptieren, für ihn keine Versuchung. Solange er noch arbeiten konnte und solange es ihm die demokratischen Regeln erlaubten, würde er das Steuer führen — auch in „gedrosselter Kanzlerschaft." Und es ist erstaunlich, was er noch vollbrachte.

Den Zusammenschluß Europas nicht. Die wieder aufgelebten Nationalismen und der französisch-britische Gegensatz brachten die Einigungsbemühungen im April 1962 endgültig zu Fall. Aber wie so oft gab Adenauer auch dieses Mal nicht auf und brachte wenigstens eine wesentliche Voraussetzung für den Weiterbau zustande, nämlich die feierliche Aussöhnung zwischen Deutschland und Frankreich.

Während seiner großen Frankreichreise im Juli 1962 und de Gaulles Gegenbesuch im September desselben Jahres war der Plan eines Freundschaftsvertrags entstanden, der unter die jahrhundertealte Erbfeindschaft einen Strich ziehen und zugleich als Basis künftiger enger Zusammenarbeit dienen sollte. Obwohl man hätte meinen sollen, daß das allseits begrüßt worden wäre, erhoben sich große Widerstände, die zum Sturm anschwollen, als sich de Gaulle am 14. Januar 1963 gegen Englands Beitritt zum Gemeinsamen Markt äußerte. Von allen Seiten stürzte man sich auf Adenauer, den damals schwächeren der beiden, um ihn mit Gewalt von der Unterzeichnung, die schon angesetzt war, zurückzuhalten. Auch Adenauer war von de Gaulles Äußerung keineswegs erbaut; aber er wußte, daß die geschichtliche Stunde nicht wiederkehren würde. Und obwohl seine Macht schon brüchig war, fuhr er nach Paris und unterzeichnete am 22. Januar 1963 den Vertrag — der sich inzwischen bewährt und seinen hohen politischen Wert bewiesen hat.

Unverdiente Schelte (Januar 1963)

Es fehlt der Raum, um die Fortschritte im Innern darzustellen, die erste Aufwertung der D-Mark und das „deutsche Wunder", von dem man allenthalben sprach. Auch andere Ereignisse kann ich nur erwähnen: seine Begegnungen mit John F. Kennedy, die Kuba-Krise und das Hin und Her mit der Atomstreitmacht der NATO.

Die deutsche Frage beschäftigte ihn vor allem. Er wälzte sie hin und her, rastlos nach Mitteln suchend, wie man den sowjetischen Druck auffangen und den Landsleuten jenseits der Elbe mehr Luft zum Atmen geben könnte. Das hatte 1958 zu dem Vorschlag geführt, der DDR einen „Österreich-Status" zu geben. 1962 brachte er den „Burgfriedensplan" vor, der dann zum Stillhalteabkommen entwickelt wurde. Und im Oktober 1962 sprach er den berühmt gewordenen Satz, „daß wir bereit sind, über vieles mit uns reden zu lassen, wenn unsere Brüder in der Zone ihr Leben so einrichten können, wie sie wollen."

Selbst seine Kritiker räumen ein, daß er auf keinem Gebiet so konsequent war wie auf diesem; und noch in seinen letzten Monaten als Kanzler, als riesige sowjetische Weizenkäufe wirtschaftliche Schwächen Moskaus offenlegten, suchte er den Westen dafür zu gewinnen, als Gegenleistung für die westlichen Lieferungen Erleichterungen für die Menschen in der DDR in Osteuropa zu fordern. Er hatte keinen Erfolg. Aber vielleicht hätte seine unermüdliche Aktivität doch einiges bewirkt, wenn er ein oder zwei Jahre länger hätte regieren können; Chruschtschow traf Anstalten zu einem Besuch in Bonn — aber die Zeit reichte nicht mehr.

Sie reichte noch, um mit Polen den Austausch von Handelsvertretungen zu vereinbaren und die Kontakte mit anderen osteuropäischen Ländern zu verstärken. Sie reichte auch noch, um zwei in Adenauers Augen gefährliche Entwicklungen in der deutschen Frage zu

113

verhindern. Als amerikanisch-sowjetische Verhandlungen über eine Zugangsbehörde für Berlin 1962 sowie die über das Teststoppabkommen 1963 zu einer Verschlechterung der Lage Berlins und einer Verfestigung der deutschen Teilung zu führen drohten, wehrte sich Adenauer mit aller Kraft. Zweimal brandete Empörung auf über den „unbequemen Alten", zweimal suchte man ihn zu umspielen oder zu zwingen. Aber er gab nicht nach. „Ein Volk in so schwieriger Lage wie wir", sagte er, „muß riskieren, daß sich andere über es ärgern." Er erreichte die Einstellung der Verhandlungen von 1962; für das Abkommen von 1963 erhielt er besondere amerikanische Zusicherungen.

Aber das Ende war ihm gesetzt.

Am 15. Oktober 1963 legte er sein Amt nieder. Er hatte es länger geführt, als die einundzwanzig Kabinette der Weimarer Republik gedauert hatten und länger als das „tausendjährige Reich."

Noch knapp vier Jahre waren ihm beschieden. Der erzwungene Rücktritt hatte ihn ins Mark getroffen. Aber er riß sich zusammen, zwang sich, nicht zu verbittern, stellte sich neue Aufgaben und schuf sich mit 87 Jahren noch eine neue Ordnung. Er beteiligte sich am politischen Leben, machte Reisen und schrieb seine Erinnerungen.

Im April 1967 ging es zu Ende. Er wußte es, ordnete, was noch zu ordnen war und verabschiedete sich von seinen Kindern und Enkeln. Nacheinander traten sie an sein Bett, drückten ihm die Hand, küßten ihn, Tränen im Gesicht. Der Alte wehrte ab. Über seinem Bett hing ein altes Gemälde: Gott Vater, groß und gütig, den gekreuzigten Sohn in den Armen. Auf dieses Bild zeigte Adenauer: „Kein Grund zum Weinen", sagte er.

Am 19. April 1967, um 13 Uhr 21, starb der erste deutsche Bundeskanzler. Sein Rang in der Weltgeschichte und seine Bedeutung für Europa werden an anderer Stelle dieses Buches gewürdigt. Unter seinen Leistungen stehen obenan: der wirtschaftliche Aufschwung, die Eingliederung der Vertriebenen und der Lastenausgleich, der Aufbau des Rechtsstaats, das Offenhalten der deutschen Frage, die Verankerung im Westen, die Wiedergutmachung, die Versöhnung mit Frankreich und der Bau Europas, so unvollkommen er blieb.

Er brachte das alles zuwege, weil er — weitblickend, nüchtern, mutig und zäh — nach christlichen Grundsätzen handelte: bei den großen Weichenstellungen der Politik und in seinem eigenen Leben, in der Feuerprobe des Dritten Reiches wie in der Aufrichtigkeit und Verläßlichkeit als Kanzler.

Erst das Zusammenspiel dieser ethischen Komponente mit den übrigen Qualitäten ermöglichte die gewaltige Leistung. Was Adenauer unter so vielen hervorhebt — und seine Gestalt wird in der Geschichte wachsen — war seine Befähigung, ein Volk aus verzweifelter Lage herauszuführen, es durch schwierige Phasen hindurch auf gutes, sicheres Land zu bringen und ihm dort die Möglichkeit eines gesunden Glücks zu bieten sowie die Chance für jeden, sich selbst zu verwirklichen und aus sich das Beste zu machen.

Für sein Volk — und mittelbar für viele Nachbarn — hat er nur Gutes geschaffen.

Seite 117 oben:

Aufnahme in die Akademie der Moralischen und Politischen Wissenschaften. Konrad Adenauer begrüßt den Philosophen Gabriel Marcel im Beisein von Botschafter Klaiber (1964).

Seite 117 unten:
Bundespräsident Heinrich Lübke übergibt dem Bundeskanzler und den Mitgliedern des vierten Kabinetts die Entlassungsurkunden (1963). Von links nach rechts: Werner Krone, Gerhard Schröder, Ludwig Erhard, Ewald Bucher, Heinrich Lübke, Hermann Höcherl, Konrad Adenauer, Richard Stücklen und Hans Lenz.

Seite 118 oben:
Konrad Adenauer und Bundespressechef Felix von Eckardt vor einer mit Spannung erwarteten in- und ausländischen Pressekonferenz am 10. März 1961.

Seite 118 unten:
Konrad Adenauer und Herbert Wehner bei der Verleihung des „Robert-Schuman-Preises" für Jean Monnet (1966).

François Seydoux

Der Europäer

Ein Porträt

Wäre jemand Konrad Adenauer begegnet, ohne zu wissen – kaum vorstellbar –, wer er war, gewiß hätte er sich gefragt, welchen mongolischen Stammeshäuptling er da wohl vor sich habe. Seine seltsam asiatisch geprägten Gesichtszüge waren die einzige Unstimmigkeit, die er sich dem Europäischen gegenüber erlaubte.

Europa, das war für ihn eine Lebensweise, eine Form der Zivilisation, der Vorrang des Geistigen vor dem Materiellen. Von einem Europa, dessen Fundament nicht ein Gefüge seiner Auffassung nach grundlegender Begriffe gewesen wäre, hätte er nichts wissen wollen. Das schlackenloseste, wahrhaftigste und bewegendste Bild, das man vom Wesen seiner Person gewinnen konnte, trat immer dann in Erscheinung, wenn er sich beglückt abends in sein Rhöndorfer Haus – hoch über dem Tal und schwierigen Zugangs – zurückzog und die Lust genoß, die letzte Hürde seines Tagewerkes genommen und hier zwischen sich und den anderen ein klein wenig Distanz geschaffen zu haben.

Sein Haus ist der beschützte Bezirk, in dem er seine Bilder und Skulpturen versammelt hat, Zeugnisse eines christlich bestimmten, dem Jenseitigen zugewandten Denkens; in seinen Räumen klingt der zauberhafte Garten aus, duftend von Rosen, zu denen, da er sie selbst pflückt, sich seine hohe Gestalt herabneigt, um die Stiele ehrfurchtsvoll und fast so, als bedauere er es, zu schneiden. Das ist der Rahmen, in dem er, und ihm zur

119

Seite einer seiner Söhne, der Priester ist, sonntags die Familien seiner sechs Kinder und Kindeskinder um sich versammelt, einem Patriarchen gleich, den es nicht stört, wenn sich in die zärtliche Zuneigung, die ihm seine Familie entgegenbringt, eine Hochachtung mischt, die ihm in so vielerlei Hinsicht gebührt. Hier, geschützt vor dem Zudrang der Welt, kann er seine Memoiren durchdenken und diktieren. In seiner Vorstellung kann es nur ein auf dem Christentum, der Familie und der Arbeit gegründetes Europa geben, nur so stünde es im Einklang mit seinem träumerischen Schweifen, wenn er von seinen Fenstern aus den Rhein betrachtet, sein majestätisches Dahinströmen, seinen Glanz und seine Nützlichkeit bewundert oder, nachdenklich, seine Gegenwart hinter dem Dunst erahnt.

Wie sehr gilt seine Liebe diesem Strom, der sein Leben so entscheidend beeinflußt hat! Er ist für ihn Band, nicht Schranke. Seine Wasser tragen Konrad Adenauer hinaus aus den engen Grenzen des Rheinlandes, Europa entgegen. Er ist viel zu sehr Rheinländer, als daß er nicht sähe, was beide verbindet, und sich nicht mit Vorliebe ein Europa vorstellte, für das seine engere Heimat Mitte, Vorbild und Idee wäre. Dies ist nicht so sehr ein Deutscher, der seinen Gedanken nachhängt, als vielmehr ein Mensch, den die Wertvorstellungen, denen er sein Leben gewidmet hat, in Bann geschlagen haben.

So mußte der Europagedanke, der nach Kriegsende überall Wurzeln schlug, bei ihm auf besonders fruchtbaren Boden fallen. Als Adenauer im Sommer 1949 Regierungschef der Bundesrepublik Deutschland wurde, konnte indes noch niemand ahnen, wohin der Weg gehen würde. Im Augenblick jedoch werden alle seine Kräfte beansprucht durch die undankbare, gefahrvolle Aufgabe, unermüdlich über das eben erst wiedererstandene Land zu wachen, dem Argwohn und dem Groll zu wehren, die schwer auf Deutschland lasten, gleichviel welchen Namen es sich geben mag, und nach innen wie nach außen einen harten, unermüdlichen Kampf zu führen. Mißlänge ihm dies, welchem Hohn und Spott wäre nicht ein Mann ausgesetzt, der mit dreiundsiebzig Jahren nicht nur die Kühnheit besitzt, für das Kanzleramt zu kandidieren, sondern der dann auch noch tatsächlich Kanzler wird! Allerdings hatte er damals schon als Präsident des Parlamentarischen Rates den drei alliierten Oberbefehlshabern, die in Westdeutschland die Regierungsgewalt innehatten, einmütig Achtung abgenötigt und sich ihre Sympathie erworben.

Es hatte immer etwas von einem großen Auftritt, wenn er den Tagungsraum der Oberbefehlshaber und ihrer Stäbe betrat. Mit größerer Meisterschaft hätten die Deutschen überhaupt nicht vertreten werden können. Seine Melancholie beeindruckte ebenso wie seine Vitalität. Wenn er mit seiner Rede zu Ende gekommen war, hatte er meist erreicht, was er wollte. Seine Überredungskunst war gepaart mit äußerster Geschicklichkeit, und der Staatsmann konnte sich auf eine politische Begabung stützen, die alle Geheimnisse des Metiers vollkommen beherrschte. Unbehagen verbreitet sich beim Anblick des maskenhaften Gesichtsausdruckes voller Trauer, in dem sich die Heimsuchung eines ganzen Volkes spiegelte und hinter den er sich zurückzog, sobald seine Wünsche auf Widerstand stießen; am liebsten hätte man sich ungesäumt von seiner Dialektik überreden lassen mögen!

Denn diese Heimsuchung, so verdient sie in den Augen vieler auch sein mochte, für den unvoreingenommenen Beobachter war sie bitterhart. Deutschland existiert nicht mehr auf der Landkarte. Seine Nachfolge tritt ein Land an, dessen Umrisse noch nicht festliegen, von dem niemand weiß, ob es die Erbschaft schon angetreten hat oder überhaupt anzutreten wünscht, das aus seiner Lage im Herzen des Kontinents gerissen, nach Westen verschoben und seiner Hauptstadt beraubt wurde, dem als Nachbar ein Gebiet aufgezwungen wird, in dem siebzehn Millionen der sowjetischen Herrschaftsgewalt unterworfene Deutsche leben, das die Wiedervereinigung sehnlichst herbeiwünscht, zugleich aber begreift, daß es tauben Ohren predigt. Wenn nun die Bundesrepublik Deutschland wenigstens in den engen Grenzen, die ihr zu einer beginnenden Existenz verhelfen, ihr eigener Herr wäre!

Statt dessen wird sie überwacht, kontrolliert, wo immer dies angeht. Das Militärische Sicherheitsamt, die Internationale Ruhrbehörde und die Hohe Kommission bringen ihr bei jeder Gelegenheit erneut zu Bewußtsein, wie sehr sie gegängelt wird, Zwängen sich zu beugen genötigt und politisch sowie moralisch dazu verdammt ist, sich mit einer zweitrangigen Stellung zufriedenzugeben. Gedemütigt und verstört kehren die Deutschen auf der Suche nach sich selbst in einem unvertrauten Land, das sie eher abstößt als anzieht, einer Vergangenheit den Rücken, die ihnen so viel Leid zugefügt hat, ohne daß sie jedoch dafür in der Zukunft einen Hoffnungsschimmer zu entdecken vermöchten.

Die Wortschlachten, die sich Christ-Demokraten und Sozialdemokraten von Anfang an liefern und wobei sie erfolgreich Erfahrungen in Demokratie sammeln, bieten einem Konrad Adenauer, einem Kurt Schumacher Gelegenheit, sich zu profilieren, sich in Beredsamkeit und leidenschaftlichem Ungestüm zu messen, wobei jeder der beiden sich glücklich schätzt, in dem anderen einen ebenbürtigen Gegner gefunden zu haben, den es zu bekämpfen gilt. Adenauer bleibt Sieger. In Zukunft liegt die Verantwortung allein bei ihm. Er bemächtigt sich ihrer ohne Einschränkung, erfüllt von einer Liebe zu seinem Land und einer Tatkraft, die bewunderndes Staunen wecken.

Gegenüber den drei Hohen Kommissaren Frankreichs, Englands und der Vereinigten Staaten, die ihm wachsende Achtung entgegenbringen, erweist sich der Kanzler als ein scharfsinniger, unermüdlicher und leidenschaftlicher Verhandlungskünstler. Jedes Argument ist ihm recht, das helfen kann, Deutschland seinem Unglück zu entreißen und von seinen Fesseln zu befreien, mit dem Ziel, die Bundesrepublik Deutschland aus einem Objekt in den Händen der ehemaligen Sieger-

Wird die Decke halten? (Dezember 1950)

mächte zum Herrn über ihr eigenes Schicksal zu machen, dem eine gleichberechtigte Behandlung zukommt. In dem Kampf, den er führt, um die Werksdemontagen zu verhindern, zeigt sich seine diplomatische Kunst in all ihrem Glanz. In Rekordzeit sollte es ihm gelingen, Änderungen in dem seinem Lande aufgezwungenen Statut durchzusetzen. Er kann dabei zwar mit der Unterstützung der Alliierten, zu Anfang insbesondere der Amerikaner und Engländer rechnen, die mit Sorge zusehen müssen, wie sich die Welt in zwei Lager spaltet, und dennoch zweifle ich, ob irgendein anderer die ihm übertragene Aufgabe mit der gleichen glühenden Leidenschaft, Anpassungsfähigkeit und Ausdauer hätte erfüllen können. Um Deutschland wieder aufrichten zu können, richtet er sich selbst zu voller Höhe auf. Wer anders könnte wohl noch Anspruch auf die majestätische Würde erheben, deren er sich in aller Bescheidenheit bedient.

Das Glück begünstigt den, der seiner würdig ist. Zur Unterstützung seiner Bemühungen kommt Europa Konrad Adenauer zu Hilfe. Ein erster Anfang wird mit der Gründung des Europarates gemacht, in dem die Bundesrepublik Deutschland nach kurzer Zeit Aufnahme findet. Indes, der Kanzler nimmt diesen Gunstbeweis äußerst herablassend entgegen. Er läßt sich bitten, und dabei blitzt ihm der Schalk aus den Augen. Es muß eingeräumt werden, daß der Platz, der seinem Land anfangs zugewiesen wird, seinen Wünschen nur halbwegs entgegenkommt. Überdies wird seine Enttäuschung noch durch den Verdruß vermehrt, als er hört, daß auf Drängen Frankreichs das Saarland im Europarat seinen Sitz an der Seite Deutschlands haben soll. Das Licht, das über Europa aufgehen soll, für ihn kann es nun ganz gewiß nicht aus Straßburg kommen.

Erst der 9. Mai 1950 berechtigt wieder zu neuen

Hoffnungen; an diesem Tag legt Robert Schuman den Plan vor, aus dem zwischen Frankreich, Deutschland, Italien, Belgien, Holland und Luxemburg die Gemeinschaft für Kohle und Stahl hervorgehen sollte. Konrad Adenauer ergreift die Gelegenheit beim Schopfe. Im Handumdrehen erschließt sich ihm die Bedeutung einer Initiative, die den Aufschwung der Bundesrepublik Deutschland beschleunigen und ihr bei den langwierigen und den vertrauten Umgang miteinander fördernden Verhandlungen die Gelegenheit bieten würde, sich gleichberechtigt neben ihre Partner zu stellen und damit ein Ziel zu erreichen, das sich, wie jeder einsehen muß, nicht mit der ungleichen Behandlung vereinbaren läßt, unter der sie bisher zu leiden hatte. Aus all dem ergaben sich unmittelbar die erfreulichsten Aussichten für das westliche Deutschland. Es bedeutet Erwachen aus dem Alptraum und Anbruch eines neuen Lebens. Adenauer kann dem Himmel danken: nur wenige Monate nach Übernahme der Regierungsgeschäfte bietet sich ihm eine Gelegenheit von schicksalhafter Bedeutung.

Das Aussehen, das das zukünftige Europa haben soll, hat für ihn nichts Erschreckendes. Ein Staat wie die Bundesrepublik Deutschland, der noch in den allerersten Anfängen steckt, kann sich ohne große Bedenken in ein größeres Ganze eingliedern lassen, vorausgesetzt, die Deutschen erhalten die Zusicherung, daß sie, wenn sie ihre sprichwörtliche Tatkraft einsetzen, dabei eine gute Figur machen werden. Vor allem sind es doch die Deutschen selbst, die sich als Waise sehen und denen jede Begeisterung für dieses bizarre, in enge Grenzen gezwängte Deutschland fehlt, das ihnen der Nationalismus und die Niederlage hinterlassen haben. Das Europa, das man ihnen vorschlägt, könnte das fehlende Vaterland ersetzen. In seiner solchen Lage muß der Europagedanke in den Umrissen, in denen er sich damals abzeichnete, vor allem bei der Jugend jenseits des Rheins ganz einfach begeisterte Zustimmung finden.

Zugleich aber bewahrt sich Adenauer seinen Landsleuten gegenüber ein gewisses Mißtrauen. Er beobachtet die Regungen ihrer Seele aus zu großer Nähe, um nicht auch ihre zögernde Haltung und ihre Ratlosigkeit wahrzunehmen. Bestand nicht stets die Gefahr, daß sie, wenn man die Bande zum Westen nicht fest genug knüpfte, den mehr oder weniger lauten Lockrufen folgen würden, die aus dem Osten herübertönen könnten? Würde die Versuchung der Wiedervereinigung, unter welchen Bedingungen sie auch zu haben sein mochte, nicht schließlich doch ihren Reiz auf die meisten von ihnen ausüben? Es galt daher, in der Außenpolitik einen Weg zu beschreiten, auf dem es kein Zurück mehr geben würde. Bei niemandem darf ein Zweifel darüber aufkommen, für welche Seite die Bundesrepublik Deutschland sich endgültig entschlossen hat. In das Atlantische Bündnis einzutreten und zum häufig bevorzugten Verbündeten der Vereinigten Staaten aufzusteigen, das sind Trümpfe, mit denen der Kanzler gerechnet hat und deren Besitz ihn mit größter Genugtuung erfüllt. Zum ersten Mal seit langer Zeit in seiner Geschichte schlägt sich Deutschland, zumindest Westdeutschland, nun endlich nicht mehr auf die falsche Seite.

Seite 127 oben:
Konrad Adenauer bei David Ben Gurion im Kibbuz Sdeh Boker in der Negev-Wüste (1966).

Seite 127 unten:
Am 90. Geburtstag im Familienkreis (1966).

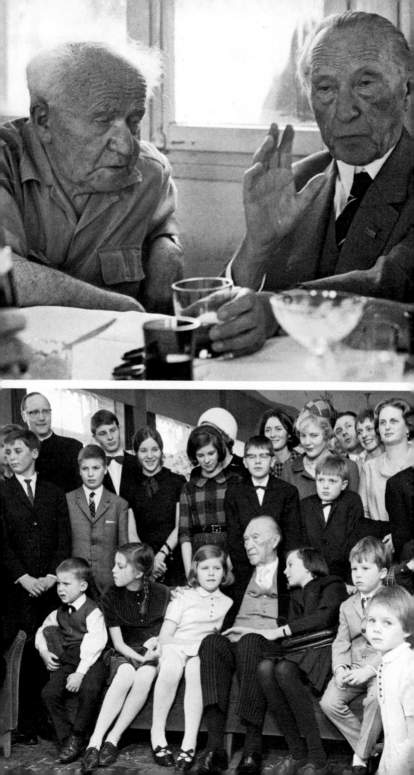

Ungeachtet ihrer großen Bedeutung erscheint Adenauer diese Garantie jedoch nicht als ausreichend. Amerika ist weit. Die der Größenordnung der USA entsprechenden Interessenverflechtungen und ihre weltweiten Verpflichtungen bergen die Gefahr, daß der Moment kommen könnte, da auf diesen Bündnispartner kein Verlaß ist. Es erscheint daher ratsamer, sich nicht mit ihrer schützenden Hand zu begnügen, sondern neben diesen weit über den Atlantik reichenden Banden mit den unmittelbaren Nachbarn engere und vertrautere zu knüpfen. Dabei steht nicht zu fürchten, daß sich daraus irgendwelche Schwierigkeiten ergeben könnten: der in seinen Umrissen allmählich deutlicher werdende Aufbau Europas genießt den Segen Washingtons, das zu einer Zeit, da der Kalte Krieg in vollem Gange ist, unter der dankbaren Zustimmung des Westens eine unbestrittene Führungsrolle übernommen hat.

Mit zupackendem Schwung wirkt Adenauer bei der Schaffung einer Europäischen Gemeinschaft mit, die nach den Vorstellungen ihrer Schöpfer nur den ersten Schritt auf dem Wege zur Errichtung eines supranationalen Europa darstellen soll. Er gehört zu den großen Europäern, die ihre Bereitschaft erklären, auf die Souveränität ihrer Staaten zugunsten einer Föderation verzichten zu wollen, die an deren Stelle treten soll. In der Hohen Behörde für Kohle und Stahl zeichnet sich die

Seite 128 oben:
Aufgebahrt im Kölner Dom am 25. April 1967.

Seite 128 unten:
Trauergäste vor dem Palais Schaumburg.

Form der zukünftigen europäischen Institutionen ab; im Keim enthält sie alle ihre Grundzüge.

Aber kommen wir nun zum Wesentlichen. Für Adenauer war von entscheidender Bedeutung, daß die Initiative von Paris ausging, daß Frankreich, eingedenk der Umwälzungen auf der ganzen Welt und der Gleichgültigkeit überdrüssig, in die sich England und die Vereinigten Staaten hüllen, sobald Frankreich ihnen gegenüber das Thema der Sicherheit anschlagen möchte, der Bundesrepublik Deutschland gegenüber eine Geste von entscheidender Bedeutung macht. Überdies ist diese Geste durch und durch die Frucht einer hochherzigen Haltung. Die Franzosen sind gewillt, dem Haß und der Rivalität ein Ende zu machen. Die Stunde der Versöhnung hat geschlagen.

Für Konrad Adenauer kann es kein anderes Europa geben als das auf einer Grundlage, die aus der Bundesrepublik Deutschland und Frankreich gebildet ist. Jenseits des Rheins sieht er ein Land liegen, das mit dem seinen nicht nur geographisch verwandt ist. Auch Verstand und Herz fühlen sich ihm verbunden. Denkt er an Frankreich, so scheut er sich nicht, seinem Deutschtum einen rheinischen Unterton zu geben. Jedoch ist der Deutsche, wenn er sich für die Interessen seines Vaterlandes in die Bresche schlägt, nicht leicht zu beeindrucken. Wagt einer seiner fünf Gesprächspartner, die mit ihm um den Verhandlungstisch sitzen, eine Bemerkung, die zur Folge hätte, daß die Bundesrepublik Deutschland unter Berücksichtigung ihrer besonderen Lage in dem einen oder anderen Punkt diskriminiert würde, dann beschwert er sich und empört sich. Er wehrt sich mit aller Kraft, und es dürstet ihn nach Gleichberechtigung, vor allem natürlich gegenüber Frankreich. Wenn darüber erst einmal Klarheit herrscht und er, wie meistens, seine Absicht erreicht hat, stellt er sich in den Dienst der gegenseitigen

130

Annäherung, wie es kein anderer vermocht hätte, denn er glaubt an die Sache.

Kaum je sollte er in der Folgezeit noch einmal eine solche Befriedigung empfinden, wie sie ihm die Verhandlungen zur Vorbereitung des Montanvertrages verschafft haben. Integration lautete die neue Parole, und sie ist nicht dazu angetan, den Regierungschef eines Staates, der gerade aus Ohnmacht und Bitternis erwacht ist, in Verlegenheit zu bringen. Die Begriffe Konföderation und Föderation sind der deutschen Geschichtstradition ja keineswegs fremd. Nicht allein erwirbt sich Frankreich die Dankbarkeit der Bundesrepublik Deutschland, sondern es veranlaßt darüber hinaus auch noch England, von Frankreich abzurücken, was in Bonn nicht ungern gesehen wird. Was die Architekten Europas, Alcide de Gasperi, Joseph Bech und Henri Spaak angeht, die Konrad Adenauer mit der Ehrerbietung umgeben, die ihnen seine Würde, sein Alter und der mitreißende Schwung abnötigen, mit dem er für die Sache einer Nation eintritt, die an ihrer Erinnerung und ihren bangen Sorgen schwer trägt, so kann Adenauer mit dem Eifer, den sie für die Sache Europas an den Tag legen, mehr als zufrieden sein. Alle sind sie sich vollkommen einig über das Ziel, das es zu erreichen gilt.

Unzweifelhaft fühlte sich Konrad Adenauer zu Robert Schuman besonders hingezogen; dies ist der Franzose schlechthin, ein Franzose zudem, der Deutschland und die Deutschen besonders eingehend kennt. Beiden ist es eine große Freude, Seite an Seite wirken zu können. Um sich zu verstehen, bedarf es nicht vieler Worte. Wenn sie sich einmal von ihrer Arbeitslast freimachen können, haben sie keine Hemmungen, sich für Augenblicke in ausgelassene Schulbuben zu verwandeln, und die Späße, die sie miteinander treiben, zeugen von der Herzlichkeit ihrer Beziehungen und gehören zu ihrem engsten persönlichen Bereich. Das Werk, das sie vollbringen, ist erfüllt von menschlicher, christlicher Brüderlichkeit, worin sich ihr Zusammengehörigkeitsgefühl weiter festigt. Zwar bleibt die irdische Grenze weiterhin bestehen, doch ihr Trennendes schwächt sich immer mehr ab, und die lichtvolle Vorstellung, die sie sich vom Jenseits machen, bringt sie einander unaufhaltsam näher.

Die bittere Enttäuschung, die Konrad Adenauer Ende August 1954 bei der Nachricht vom Scheitern des Vertrages der Europäischen Verteidigungsgemeinschaft vor der Pariser Nationalversammlung empfindet, läßt ahnen, mit welcher Begeisterung er sich in das Unternehmen gestürzt hatte, das schließlich zu einem supranationalen Europa führen sollte. Damit war ein Pfeiler eingestürzt, den wieder aufzurichten niemandem gelingen sollte. Und dabei soll der Kanzler ursprünglich für die Initiative, die wieder einmal aus Frankreich kam, nur Mißtrauen übrig gehabt haben, denn in der Hauptsache verfolgte sie doch wohl das Ziel, die Aufnahme der Bundesrepublik Deutschland in das Atlantische Bündnis hinauszuzögern und dennoch der von Washington und London für unerläßlich gehaltenen Wiederbewaffnung den Weg zu ebnen. Der gewitzte Fuchs erkannte sehr wohl die Falle, die ihm da gestellt wurde. Je länger er jedoch darüber nachdachte, desto entschlossener gab er seinen Überlegungen eine neue Richtung. Als der Europäer, der er war, erkannte er, daß eben gerade diese Armee, deren Schaffung hier befürwortet wurde, zu einem Eckpfeiler des zukünftigen Europa werden könnte, und so wurde er, ohne weiter nach Ausflüchten zu suchen, zu einem ihrer entschlossensten und überzeugtesten Verfechter.

Wie hätte er ahnen können, daß ausgerechnet die Franzosen, die ja die EVG ersonnen hatten, ihr nun auch den Todesstoß versetzen würden? Bis zum letzten

Augenblick sträubte er sich, daran zu glauben. Jedoch mehren sich die Anzeichen, daß in Frankreich immer häufiger Einwände dagegen erhoben werden. Robert Schuman hat den Dienst als Außenminister quittieren müssen und sich nicht getraut, den Vertragstext aus der Schublade zu ziehen. Sein Ausscheiden ist ein erstes Alarmsignal. Die Beziehungen zu Georges Bidault können nicht die gleiche Qualität haben. Dem neuen, klug ausweichenden und leidenschaftlich nationalbewußten Chef des Quai d'Orsay gegenüber fühlt sich Konrad Adenauer nicht ganz so wohl in seiner Haut. Der Dialog wird zwar fortgesetzt, weil die Umstände es so fordern, aber ohne Wärme. In Paris hat man keine Eile, die Sache zu einem Abschluß zu bringen. Die französische Regierung übermittelt ihren Partnern eine Reihe von Protokollen, in denen verschiedene Klauseln des Vertrages so ausgelegt werden, daß ihre Bedenken und ihre zögernde Haltung deutlich zum Ausdruck kommen.

Kaum ist Georges Bidault von der Bühne abgetreten, da packt Pierre Mendès-France den Vertrag erneut energisch an und macht ihn zu seiner persönlichen Angelegenheit. Er will den Erfolg. Da er weiß, daß der Vertrag in seiner vorliegenden Form mit Sicherheit im Parlament scheitern wird, beabsichtigt er, seinen deutschen, italienischen, belgischen, holländischen und luxemburgischen Kollegen, die Anfang August 1954 in Brüssel zusammentreten sollen, Änderungen zu unterbreiten, die dazu bestimmt sind, die Annahme des Vertrages im Parlament zu erleichtern. Er findet jedoch kein Gehör. Irregeleitet von voreingenommenen Informationen wiegt der Kanzler sich weiter in der Hoffnung, daß die französischen Kammern dem Text zustimmen werden, ohne daß Änderungen, unter denen der supranationale Aspekt des Vertragswerkes zu leiden hätte, erforderlich wären.

Das ist das Ende. Nicht nur die Europäische Verteidigungsgemeinschaft wird zu Grabe getragen; auch der Versuch ist gescheitert, aus den sechs Mitgliedsstaaten der Gemeinschaft für Kohle und Stahl eine politische Gemeinschaft zu formen, auf deren beschwerliche Errichtung Parlamentarier, Diplomaten und Experten ihr ganzes Mühen verwandt hatten —, und was sie ausgeheckt hatten, war den Wünschen des Kanzlers zweifellos entgegengekommen. Wohl konnte es geschehen, daß er mit einiger Besorgnis an die Machtbefugnisse einer Europäischen Kommission dachte, die wenigstens teilweise seiner Kontrolle entzogen sein und ihn so der Attribute einer Machtstellung entkleiden würden, die er schätzengelernt hatte, dennoch bin ich überzeugt, daß er sich, vor die entscheidende Wahl gestellt, für Europa entschieden hätte.

Eines ist sicher: mit dem Bankrott der EVG ist für ihn der Reiz verflogen. Er spricht sogar davon, zurückzutreten. Seine Besonnenheit verhindert dann schließlich doch diesen Schritt. Seine Langmut muß entschädigt, für seine Enttäuschung ein Ausgleich gefunden werden, und daran sollte es nicht fehlen. In dem Maße, wie die Vereinigten Staaten auf Frankreich nicht gut zu sprechen sind, steigt unaufhörlich das Ansehen, in dem die Bundesrepublik Deutschland bei ihnen steht.

Die Aufnahme in den Atlantikpakt ist dafür die Belohnung. Dies Ziel ist für die Bundesregierung nur dann zu erreichen, wenn sie bereit ist, sich in Sachen Verteidigung Beschränkungen und Verboten zu beugen, die später Bestandteil des auf der Londoner Konferenz Anfang Oktober 1954 gutgeheißenen Vertrages über die Westeuropäische Union werden sollten. Neben diesem hervorstechenden Zug des neuen Abkommens zeichnet es sich auch noch dadurch aus, daß es England mit einschließt. In Paris, wo die EVG gescheitert war, weil aus den Sechsen nicht Sieben geworden waren, zeigt man sich darüber befriedigter als in Bonn. Das sollte sich aber eines Tages ändern. Konrad Adenauer nimmt, so scheint es, mit gemischten Gefühlen an den Verhandlungen teil. Er hat sich von dem Schock, der ihn getroffen hatte, noch nicht vollständig erholt. Die Engländer, allen voran Anthony Eden, hinter dem der Schatten Winston Churchills zu ahnen ist, spielen die führende Rolle. An der Themse atmet der Kanzler nicht so frei wie an den Ufern der Seine. Wenn er neben sich Mendès-France' verkniffenes Gesicht sieht, wendet er sich seufzend ab: Robert Schumans engelhafte Sanftmut, sein Glaube an Europa, wo sind sie geblieben?

Seltsamerweise sollten sich die deutsch-französischen Beziehungen ausgerechnet durch das Problem bessern, das das Verhältnis der beiden Länder seit Jahren belastet hatte. Der Premierminister macht sich an die Bereinigung der Saarfrage mit dem Ungestüm und der Ernsthaftigkeit, denen er seinen Ruf zum Teil verdankt. Seine wirkungsvolle und so durch und durch französische Lebhaftigkeit amüsiert den deutschen Gesprächspartner, der sich seinerseits einen Spaß daraus macht, zu beweisen, daß es ihm nach wie vor nicht an Weitsicht mangelt. Nicht ohne Stolz stellen sie fest, daß es ihnen in wenigen Wochen gelungen ist, einander näherzukommen. Das Saarland hätte sich gut dazu geeignet, als europäisches Versuchsfeld zu dienen. Die bei den Gesprächen in Celle-Saint-Cloud Ende Oktober beschlossene Volksbefragung entscheidet anders. Ungeachtet seines Europäertums wäre Konrad Adenauer der letzte gewesen, der dies Ergebnis bedauert hat. Räumen wir ihm den ja doch treffend richtigen Gedanken ein, daß jede unklare Lösung zu einem ständigen Unruheherd zwischen Frankreich und Deutschland hätte werden können.

Mit der Schaffung der Wirtschaftsgemeinschaft im
Jahre 1957 machen die schon durch die Gemeinschaft für
Kohle und Stahl miteinander verbundenen Staaten einen
Sprung nach vorn. Hier, in diesem umfassenden und
zugleich sachbezogenen Bereich müssen sie versuchen zu
beweisen, daß sie zu solidarischem Handeln fähig sind,
wenn anders sie nicht überwältigt und erdrückt werden
wollen.

Von der Jugendliebe zur großen Freundschaft
(September 1962)

Die tragische Wendung, die die Ereignisse in Algerien nehmen, bringt den General de Gaulle erneut an die Macht. Zu groß ist die Besorgnis des Kanzlers angesichts der Gefahr, die Frankreich hier erwuchs, und ihrer unvermeidlichen Auswirkungen auf die Bundesrepublik Deutschland, als daß er nicht erleichtert gewesen wäre. Dennoch, in seinen Augen ist der europäische Horizont bewölkt. Wer mag, so fragt er sich, dieser Franzose wohl sein, der sich weder Roosevelt noch Churchill gebeugt hatte, dem es als zähe ringender, unbeugsamer und leicht verletzlicher Patriot gelungen war, sein Land unter die Zahl der Siegermächte einzureihen, und der nun die Zügel in einer Lage wieder ergreift, die seiner stolzen Hoffart nur noch neue Nahrung geben konnte. Die Nachrichten aus Paris sind zwar, was ihn selbst betrifft, beruhigend. Jedoch, man mag ihm erzählen, was man will, seine Befürchtungen werden erst zerstreut sein, wenn er sich selbst ein Bild gemacht haben wird. Die Zurückhaltung, die er sich auferlegt, ist nicht ohne Koketterie.

Und dann, am 14. September in Colombey-les-deux-Eglises, sind beide voneinander entzückt. Sie wissen, wieviel von dem ersten Blick abhängen wird, den sie tauschen, und so legt jeder nachdrückliche Kraft und seine innere Bewegung hinein. Sie sind von dem Willen beseelt, daß dieser Augenblick in nichts dem Format ihrer Persönlichkeit nachstehen möge. Wie groß auch im Innersten ihrer Seele ihre Erwartung gewesen sein mochte, der Eindruck, den sie gleich zu Beginn voneinander haben, geht weit über sie hinaus. Die Liebenswürdigkeit Charles de Gaulles, der seinem um vierzehn Jahre älteren Besucher unwillkürlich Dank dafür weiß, daß er die Last der Verantwortung so rüstig trägt, läßt den Stolz des um Ebenbürtigkeit bemühten Konrad Adenauer dahinschmelzen wie Schnee in der Sonne. Kein Zweifel, die Partie, die zu spielen sie sich anschicken, lohnt den Einsatz. Es wird eine Gipfelwanderung. Das Gespräch, das hier seinen Anfang nimmt, wird im Verlaufe zahlreicher Begegnungen und in einem umfangreichen Briefwechsel fortgesponnen.

Schon bei der ersten Begegnung sind de Gaulle und Adenauer überrascht, wie groß ihre Übereinstimmung in der Beurteilung einer Weltlage ist, die von der demographischen, wirtschaftlichen und technischen Überlegenheit der Vereinigten Staaten und der UdSSR beherrscht wird. Wo ihr Urteil, ihre Sehweise in Nuancen voneinander abweichen, liegt die Erklärung dafür auf der Hand, und jedem von ihnen fällt es leicht, vor allem an diesem Tag des Verlöbnisses, sich an die Stelle des anderen zu versetzen.

Die Sowjets bedeuten mit ihrem Expansionsdrang, ihrer Herrschsucht, ihrer Kraftentfaltung und ihren Armeen nicht nur für die Bundesrepublik Deutschland eine Bedrohung. Niemand kann sich davor in Sicherheit wiegen. Um jedoch zu begreifen, bis zu welchem Grad Adenauer von dieser Idee geradezu besessen war, muß man ihn selbst gehört haben. Zwar ermißt auch de Gaulle die Größe der Gefahr, doch er bleibt ihr gegenüber gelassener. Weder eine Note aus Moskau vom 27. November 1958, die einem Ultimatum nahekommt, noch der Bau der Mauer in Berlin am 13. August 1961 können ihn aus der Ruhe bringen. Nicht etwa, daß er aufgäbe, ganz im Gegenteil. Es gilt, der UdSSR wie allen anderen Gegnern auch Widerstand zu leisten. Auf der Stelle weiß der Kanzler in Colombey mit Kennerblick die Entschlossenheit des Generals zu würdigen.

Selbstredend ist de Gaulle nicht so töricht, sich zum Gegner der Vereinigten Staaten aufwerfen zu wollen, jedoch hindert ihn die Achtung, die er ihnen entgegenbringt, nicht daran, ihre allzu fühlbare Präsenz und ihren übertriebenen Hang zum Ausüben der Befehlsgewalt zu beklagen. Er sollte daraus seine Folgerungen ziehen, als er im März 1966 den Austritt Frankreichs aus der integrierten militärischen Organisation des Atlantikpaktes erklärte. Der Kanzler ist Deutscher, und als ein solcher zieht er Europa Amerika vor, obwohl er in den USA das einzige Bollwerk gegen das sowjetische Vordringen sieht. Um also keine Verstimmung aufkommen zu lassen, verwendet er sich für das Fortbestehen ausgewogener Beziehungen zwischen Washington und Paris, was häufig den Widerwillen de Gaulles erregen sollte.

Die Sehnsucht des Franzosen nach einer Zeit, in der sich Europa ungeteilt und in weiträumigeren Umrissen hätte errichten lassen, und der unverhüllte Standpunkt des Deutschen, für den die amerikanische Unterstützung auf dem entscheidenden Gebiet der Sicherheit Vorrang besitzt, haben indessen den Zauber, der über dem Treffen von la Boisserie lag, nicht zu brechen vermocht.

Dem Tag kommt deshalb entscheidende Bedeutung zu, weil de Gaulle und Adenauer von dem gleichen Willen beseelt waren, eine Seite im Buch der Geschichte umzuwenden, dem Jahrhunderte alten Zwist ein Ende zu machen und ihre beiden Länder so miteinander zu verbünden, daß sie, nach einem Wort des Generals, sich in der Lage sähen, „große Dinge zu vollbringen." Vom Schicksal ausersehen, das sie einander gegenübergestellt hatte, ließen sie die außergewöhnliche Stunde nicht ungenutzt verstreichen. Selbst wenn es einen Adenauer nicht gegeben hätte, Charles de Gaulle hätte Deutschland die Hand zur Versöhnung gereicht. In einer von Umsturz und Umwälzungen heimgesuchten Welt sollte die endgültige Verwirklichung der deutsch-französischen Verständigung der Präzedenzfall sein, auf den sich künftig alle Völker dieser Erde würden berufen können.

Das Glück wollte es, daß ihm als Gesprächspartner ein Deutscher gegenübertrat, den seine persönlichen Vorzüge und die Verdienste, die er sich um sein Land erworben hatte, bereits zu einer legendären Gestalt hatten werden lassen. Für die kommenden Generationen sollten ihrer beider Namen untrennbar zusammengehören.

Zwar hatte für Adenauer die Annäherung an Frankreich nicht erst mit de Gaulle begonnen, aber de Gaulle brachte ihm zusammen mit seiner strahlenden Vergangenheit die Zustimmung all der noch sehr zahlreichen Franzosen ein, die bis dahin in Bitterkeit und Feindschaft verharrt hatten. Die Aussöhnung würde von nun an ganz Frankreich umfassen. Das sollte ihm der Kanzler nie vergessen. In den stürmischen Zeiten, die die deutsch-französischen Beziehungen durchmachen, wird er sich daran erinnern, wie ihm, der noch ganz beklommen eben erst in Colombey eingetroffen war, de Gaulle gleich zu Beginn eröffnete, daß die deutsch-französische Annäherung ein Eckpfeiler seiner Außenpolitik sei. Darüber hinaus war er davon unterrichtet worden, daß der General, trotz seiner verzehrenden Leidenschaft für Frankreich, Europa nicht zu vernachlässigen gedenke, daß es vielmehr Teil seiner Pläne und Zukunftsvisionen sei. Allzu sehr konnte ihn das alles allerdings nicht überraschen, hatte doch de Gaulle schon unmittelbar nach Beendigung der Feindseligkeiten zu wiederholten Malen seine europäische Berufung deutlich gemacht. Ebenso war ihm aber auch die heftige Abneigung bekannt, die der neue Chef der französischen Regierung der EVG gegenüber an den Tag gelegt hatte. Wie war dieser Widerwille mit dem neuen Geist vereinbar, von dem so viele Gemüter durchdrungen waren? Am 14. September werden diese kontroversen Themen nicht aufgegriffen. Adenauer stellte mit lebhafter Genugtuung fest, daß de Gaulle sich zustimmend zu Europa äußert, sich von der Wirtschaftsgemeinschaft, obwohl vor seiner Zeit entstanden, nicht etwa abwandte, sondern sie vielmehr gestärkt zu sehen wünschte und sich über Italien, Belgien, die Niederlande und Luxemburg wie ein Nachbar, ein Verwandter ausließ. In diesem Stadium war das dem Kanzler genug. Europa würde sich nach dem Vorbild der deutsch-französischen Verständigung herausbilden.

Am Morgen des 15. September kehrten Adenauer und de Gaulle befriedigt in ihre Hauptstädte zurück. Unverzüglich wurde ich davon aus beider Munde in Kenntnis gesetzt. Der Kanzler konnte seine Freude nicht verhehlen. Er würde sein Werk zusammen mit dem bedeutendsten Franzosen, den er sich zum Freund gewonnen hatte, fortsetzen können. Trotz ihres hohen Alters empfanden sie in der Tat eine Freundschaft füreinander, die sich aus der Achtung nährte, die sie sich entgegenbrachten, aus der großen Aufgabe, die gemeinsam zu lösen sie entschlossen waren, aus ihrer Überzeugung, daß sich Frankreich und Deutschland auf höchster Ebene in ihnen verkörpern und schließlich aus ihrer beider Bindung an eine Kultur, die sich auf Christentum und Familie gründet. Die Frucht daraus war eine gegenseitige Zuneigung, deren Genuß sie eifersüchtig nur sich selbst vorbehielten, deren Spur sich weder in ihrem öffentlichen noch in ihrem privaten Leben je verlor, und die sie bewog, sich niemals unnötig zu schaden, und den persönlichen Kontakt zu suchen, sobald ein Mißverständnis aufgetreten war.

Zu Anfang gelang es ihnen mühelos, Seite an Seite voranzukommen. Der Kalte Krieg wütete allenthalben. Die Haltung der UdSSR gab Anlaß zu Besorgnissen, denen sich niemand entziehen konnte. Nichtsdestoweniger hatte der General den Kanzler, kaum daß dieser wieder in Bonn war, in große Unruhe gestürzt, als er

London und Washington zur Regelung der großen Weltprobleme eine konzertierte Politik der drei Westmächte vorschlug. Bei allem Bewußtsein der schwachen Position der Bundesrepublik Deutschland und des Ansehens, das Frankreich genoß, bäumte sich Konrad Adenauer gegen jede Initiative auf, die geeignet war, den Graben zwischen beiden Ländern zu vertiefen. Gemeinsam mit der UdSSR, den Vereinigten Staaten und England war Frankreich für das Schicksal Berlins verantwortlich. Es schickte sich an, sich atomar zu bewaffnen. Das genügte. Der Versuch, an dessen Erfolg de Gaulle wahrscheinlich selbst nicht geglaubt hatte, führte zu keinem Erfolg. Wenn der Kanzler jedoch düsterer Laune war, dann konnte er sehr aufgebracht sein über das „Direktorium", das, wie er in solchen Augenblicken behauptete, von französischer Seite zu errichten beabsichtigt werde. Galt es nicht vielmehr, behutsam die Zukunft Europas in die Wege zu leiten, eines Europa, in dem Deutschland und Frankreich ohne Frage auf der gleichen Ebene stünden, Adenauer jedoch großzügig und verständnisvoll de Gaulle den Vortritt lassen würde?

Das Problem Europa hat einer gefährlichen Debatte Nahrung gegeben. Es hätte sehr wohl sein können, daß die Bundesrepublik Deutschland und Frankreich dadurch hätten entzweit werden können. De Gaulle wäre jedoch nicht er selbst gewesen, er hätte sich der Vorstellung, die er sich von seiner eigenen Rolle machte, nicht würdig erwiesen, hätte die Errichtung einer Europäischen Union nicht zu den Verlockungen und Hoffnungen gehört, denen er sich hingab. Es fragt sich, aus welchen Staaten er sie wohl hätte formen mögen, wäre er der Initiator gewesen. Es gibt darauf jedoch keine Antwort. Es ist nicht sicher, ob er sich mit den fünf Partnern begnügt hätte, die seine Vorgänger ihm hinterlassen hatten. Jedenfalls fügt er sich erstaunlich zwanglos in das Erbe und wird sogar zum Herold des Gemeinsamen Marktes. Er war dagegen nicht bereit, das Werk, das ihm anvertraut war, über diesen Punkt hinaus weiter zu führen. Der Begriff Integration ist ihm fremd. Er macht deutlich, daß er ein Gegner dieser Bestrebungen ist, und er sollte auf diesem Gebiet auch nie einen Kompromiß oder eine Formulierung gelten lassen, auf die gestützt das europäische Aufbauwerk sich in diese Richtung hätte entwickeln können.

Nach der Vorstellung de Gaulles sollte Europa sich auf die einzelnen Staaten gründen. Sie sollten die Pfeiler bilden, auf denen es ruhen würde. Die Lebenskraft und das Ausstrahlungsvermögen Europas würden von der Energie und dem inneren Zusammenhalt der Staaten abhängen. Er vertrat die Ansicht, wenn er das Wort selbst auch nie ausgesprochen hat, daß das Endziel eine Konföderation sein könne. Mehr als zwei Jahre ließ er ins Land gehen, bevor er sich dazu äußerte und eine Kampagne startete, in deren Verlauf die Hindernisse sich häufen sollten. Hatte er geahnt, daß sie so schwer zu nehmen sein würden, oder warf sich seine kämpferische Natur in voller Kenntnis in eine Schlacht, deren Ausgang von Anfang an ungewiß zu sein versprach?

Wohl hatte er bei den Italienern schon einmal vorgefühlt, aber sein bevorzugter Vertrauter ist natürlich Konrad Adenauer. In den letzten Julitagen des Jahres 1960 unterbreitet er ihm in Rambouillet ein kurzgefaßtes Projekt, in dem die Grundlagen des zukünftigen Europa umrissen werden. Auf allen Gebieten solle es Aufgabe der sechs Mitgliedsländer der schon bestehenden Gemeinschaften sein, Konsultationen abzuhalten und sie zu einer regelmäßigen Einrichtung zu machen; Konsultationen, die zwischen den Staats- und Regierungschefs stattfinden und es ihnen erlauben sollen, in enger Verbundenheit als eine Macht erster Ordnung aufzutreten.

Wie lautet nun Konrad Adenauers Antwort, und dabei denke ich ausschließlich an ihn? Da wird ihm ein Projekt vorgelegt, das seinem ganzen Inhalt nach von all den Plänen abweicht, die einst entworfen worden waren und an deren Ausarbeitung er selbst mit Hingabe mitgewirkt hatte. Für ihn war die Integration fast zu einem Dogma geworden. Tausende von Europäern hatten sich von ihr faszinieren lassen. Das nun vom Präsidenten der Republik skizzierte Programm hatte damit sozusagen nichts gemein. Dennoch sei, wie der General mir selbst gesagt hat, die Aufnahme, die seine Vorschläge beim Kanzler während eines der zur Gewohnheit gewordenen vertrauten Gespräche gefunden hätten, rundherum günstig gewesen.

Am Tage darauf begleite ich Adenauer im Morgengrauen nach Chartres; er möchte in der Kathedrale, die er besonders liebt, beten. Es ist einer der großen Augenblicke meines Lebens. Ganz gegen seine Gewohnheit hüllt er sich während eines Teils der Reise in Schweigen. Ich bin von Ehrerbietung überwältigt. Der Deutsche, von dem mich einnehmen zu lassen ich mir zunächst versagt hatte, hat mich dann nach und nach doch gewonnen. Verstohlen beobachte ich ihn, wie er dasitzt, in Nachdenken versunken, eingehüllt in unendliche Melancholie, stärker als sonst von den Jahren gezeichnet; mir kaum Beachtung schenkend, nicht aus Gleichgültigkeit, sondern weil er erraten hat, wie sehr diese Minuten für seinen Reisegefährten ohnehin erfüllte Augenblicke sind, ohne daß er noch etwas dazuzutun hätte. In seiner Gestalt spiegelte sich für mich noch einmal die wild bewegte Geschichte Deutschlands, das unter Wilhelm II., wäre der Krieg nicht gekommen, den Kontinent hätte beherrschen können, das sich, in empörter Auflehnung gegen die Leiden, die Niederlage und Inflation über das Land gebracht hatten, Hitler überantwortete, das, nach überwältigenden Siegen, gedemütigt, geteilt, verstümmelt und zwischen Ost und West hin- und hergezerrt in der Katastrophe versank. Das gleiche Deutschland, dessen westliche Hälfte sich nun rasch wieder aus den Trümmern erhebt und das dabei durch seine Gegner von gestern unterstützt, ermutigt und umworben wird. Einer von ihnen ist der General de Gaulle.

Konrad Adenauer vergräbt sich in seine Gedanken. Ein langes Leben ist für sich allein schon ein lehrreiches Exempel. Seine Vergangenheit und seine Verdienste haben ihn an die Spitze der Bundesrepublik Deutschland gestellt. Wäre dem auch so, wenn er nicht stets den richtigen Blick für die Dinge gehabt hätte? Auf dieser morgendlichen Fahrt, schön in dem warmen Licht, das die Felder zu überfluten beginnt, genießt er den Liebreiz Frankreichs. Sein eigenes Land soll damit verbunden bleiben. Die Form, die das zu schaffende Europa annehmen soll, bedeutet ihm weniger als der Wille Charles de Gaulles, den geachteten Partner, der Deutschland in seinen Augen ist, aufs engste mit seinen Plänen und mit Frankreichs Zukunft zu verbinden. Wir betreten die Kirche. Rücksichtsvoll trete ich ein paar Schritte zur Seite. Fühlt der Kanzler, daß die Stille, in die er sich hüllt, nicht von langer Dauer sein wird?

Er ist noch nicht wieder ganz in Bonn, da bricht schon ein Unwetter los, das weder auf die Bundesrepublik Deutschland noch auf Frankreich begrenzt bleibt. De Gaulle wird beschuldigt, Europa zu verraten, die ihm zugefallene Rolle zu benutzen, um es seiner Herrschaft zu unterwerfen und auf diese Weise zu versuchen, Frankreich zum ebenbürtigen Partner der Vereinigten Staaten und der Sowjetunion zu machen.

Die verschiedenartigsten Beweggründe hatten zu derart heftigen Vorwürfen geführt, und von denen, die sie empört erhoben, hatten es viele nicht nur auf das Projekt abgesehen, zu dessen eingehender Prüfung der Elysee-Palast eingeladen hatte. Um genau zu sein, bedarf das Bild der Lage jedoch noch der Ergänzung. Die Vorstellung eines supranationalen Europa, zu dessen Gunsten die Staaten auf ihre Souveränität verzichten sollten, hatte seit zehn Jahren bei vielen, vor allem in der Bundesrepublik Deutschland, tiefe Wurzeln geschlagen. In ihren Augen würde eine Preisgabe einem Rückschlag, einem Verzicht gleichkommen. Jede andere Lösung konnte als unzureichend und trügerisch a priori nur auf Ablehnung stoßen. Entweder würde es ein integriertes Europa geben, oder sonst lieber gar keins.

Die Empörung all derer, die für diese Sache eintraten, konnte sich nur gegen den Kanzler richten, der einst mit ihnen in vorderster Linie gestanden hatte. Er, der Mitbegründer der Gemeinschaft für Kohle und Stahl, deren neuartige Struktur von so großer Anziehungskraft gewesen war, hatte soeben in Rambouillet eine Kehrtwendung vollzogen. Er hatte sich von de Gaulle manövrieren lassen. Die schärfsten Kritiker scheuten sogar vor der Behauptung nicht zurück, er habe nicht ermessen, wieweit er sich jäh von dem Europäertum entfernt habe, dessen Symbolfigur er bisher gewesen sei.

Nur Vermessenheit kann es wagen, einen Zugang zu den geheimsten Gedanken einer so außergewöhnlichen Persönlichkeit wie Konrad Adenauer zu suchen. Dem Europa, wie es Jean Monnet und Robert Schuman entworfen hatten, gehörte wahrscheinlich nach wie vor im Grunde seines Herzens die Vorliebe des Kanzlers. Sein Name war damit verknüpft. Er hatte sich daran gewöhnt. Dieses Europa stand vor seinen Augen wie der erste verheißungsvolle Schritt in Richtung auf eine vollkommene Welt, in der die Menschen und die Völker ohne Grenzen leben könnten. Die Haltung, die er dem

General gegenüber damals einnahm und von der er in der Folgezeit nicht einen Deut abgewichen ist, erscheint deshalb nur umso bemerkenswerter. Die Antwort Adenauers konnte nur die eines Staatsmannes sein. Wenn er auch nur für einen Augenblick der Schwäche nachgegeben hätte, er wäre rechtschaffen genug gewesen, dies auch einzugestehen. Er hätte nicht mit einer Widerstandskraft von wahrhaft olympischer Gelassenheit über die Ablehnung und Mißbilligung seines Tuns triumphiert.

Wer konnte im übrigen vorhersehen, wie sich das von de Gaulle empfohlene Programm weiterentwickeln würde? Wenn das Rad der Geschichte erst einmal in Bewegung geraten ist, würde es nicht mehr aufzuhalten sein. Eingedenk der Umstände, an denen die Europäische Verteidigungsgemeinschaft gescheitert war, sagte sich Adenauer vielleicht, daß der Entwurf von Mendès-France trotz seiner Lücken wohl doch dem Nichts vorzuziehen gewesen wäre. Der Wille zu möglichst großer Perfektion führte in eine Sackgasse. Es mußte ein Anfang gemacht werden, das war das Wichtigste. Aber es gab da noch etwas anderes. Ich frage mich nämlich, ob der Kanzler, der mit den Jahren immer mehr Geschmack an der Macht gefunden hatte, nicht gelegentlich an die Unannehmlichkeiten dachte, die sich für ihn aus einer Einschränkung seiner Autorität ergeben würden. Bei verschiedenen Gelegenheiten war es schon vorgekommen, daß er in diesem Punkt außerordentlich empfindlich reagiert hatte und sofort bei der Hand war, den einen oder anderen zur Ordnung zu rufen, der sich, gestützt auf sein Amt, in Brüssel einen schärferen Ton herausnahm.

Außerdem hatte sich die Bundesrepublik Deutschland verändert. Sie glich nicht mehr einem nur in Umrissen existierenden Staat, über den Konrad Adenauer herrisch und tagtäglich Wache hielt. In einem Jahrzehnt waren die

Ruinen verschwunden, die Wirtschaft stand in voller Blüte, die geistige Verfassung des Volkes hatte sich gewandelt. Es setzte sich nun bei den Deutschen das Gefühl durch, daß es Deutschland wert sei, ihr Vaterland zu sein. Zwar erscheint jetzt, da die Bundesrepublik Deutschland Bestand hat, das supranationale Europa immer noch als eine große Verlockung, nicht mehr jedoch als das unverzichtbare Refugium, als das einzig mögliche Tor in die Zukunft. Dies wird nicht zuletzt auch Adenauer klar.

Und dann ist da noch der General de Gaulle. Der Kanzler, den als einen bis ins Tiefste europäisch fühlenden Menschen die Schwerfälligkeit tief traurig stimmt, mit der die Sache Europas vorankommt, weiß sehr wohl, daß es, um den unerläßlichen Impuls zu geben, um zu erreichen, daß die Sechs ihre Harmonisierungsbemühungen nicht auf den wirtschaftlichen Bereich beschränken, sondern den Versuch wagen, auch ihrer Außenpolitik eine ähnliche Richtung zu geben, daß dieses Europa eines Staatsmannes bedarf, der von Anbeginn an die Führung übernimmt. Kein Deutscher ist in dieser Rolle denkbar, nicht einmal er. Kein anderer als de Gaulle kann dieser Mann sein. Die Freundschaft und das Vertrauen, die de Gaulle dem Kanzler entgegenbringt, überzeugen diesen, daß er im Verlauf der Geschehnisse der geschätzteste und nützlichste Vertraute sein werde. Gleich seinem großen Freund räumt Adenauer, geht es darum, die Ereignisse zu steuern, starken Persönlichkeiten entscheidenden Einfluß ein. Um sich davon zu überzeugen, braucht er nur einen Blick in die Vergangenheit zu werfen: ohne ihn hätte die Bundesrepublik Deutschland niemals ihren eindrucksvollen Aufschwung genommen. Seine Tatkraft und sein sicheres Augenmaß haben das Tempo bestimmt und die Hindernisse aus dem Weg geräumt. Aus dem gleichen Holz ist de Gaulle geschnitzt, der mit dem Glanz dessen auftrat, der sich zwanzig Jahre zuvor mit einem Aufsehen erregenden Nein als Visionär erwiesen hatte.

Die Gespräche haben dem Kanzler Gelegenheit gegeben, den Weitblick des Generals zu würdigen. Die Methode, die de Gaulle in Rambouillet befürwortet hat, scheint ihm dank der Einfachheit ihrer Struktur und auf Grund der Rolle, welche die Regierungschefs darin zu spielen hätten, Vorteile zu bergen, die vernachlässigt zu haben ihn später reuen könnte. Und schließlich kommt es ihm weniger auf die Methode an, als auf die Fähigkeiten und die Entschlossenheit dessen, der sie ersonnen hat. Die internationale Lage fordert zwingend den Zusammenschluß Europas. Ließe man das glückliche Zusammentreffen ungenutzt, das de Gaulle und ihn an die Spitze Frankreichs und der Bundesrepublik Deutschland gestellt hatte, so wäre das ein unverzeihlicher Fehler. Morgen schon würde es zu spät sein.

Bei dieser Gelegenheit hat Adenauer seinem Freund de Gaulle den Beweis seiner Verbundenheit geliefert. Ringsum nichts als Verbitterung. Zu denjenigen, die ihn seit eh und je kritisiert hatten, stoßen jetzt alle jene aus seiner Partei, die ihm nicht verzeihen können, daß er sich, wie sie meinen, selbst untreu geworden ist.

Unerschütterlich wie ein Fels steht der Kanzler in der Brandung. Seite an Seite mit dem General macht er den Weg frei, der zur Einrichtung einer Kommission führt, deren Vorsitz Christian Fouché zufällt. Der Glaube an einen Erfolg ist nun berechtigt: ja, an einem strahlenden Tag, dem 18. Juli 1961 in Bad Godesberg, als der Deutsche und der Franzose die anderen auf ihrem Wege mit sich reißen, scheint er zum Greifen nahe. Und dennoch, es vergeht kaum ein Jahr, da treten die Außenminister der Sechs in Paris zusammen, bloß um sich unverrichteter Dinge wieder zu trennen. Schon wollten die Holländer und die Belgier nichts mehr von einem Europa wissen, in dem es für England keinen Platz geben sollte.

Ungeachtet dieser Umstände dauert seitdem die Diskussion darüber an, welchen Anteil der Verantwortung die einen und die anderen an diesem Ausgang tragen. Was Konrad Adenauer angeht, so betrachtet er sich als durch die persönliche Verpflichtung gebunden, die er in Rambouillet eingegangen ist. Er hat getan, was in seiner Macht stand, um den Ausbruch der Zwistigkeiten zu vermeiden. Als der General Anfang 1962 dadurch in eine Sackgasse geraten war, daß er den ihm vorgelegten Text nicht unbeträchtlich abgeändert hatte, ist ihm sofort klar, welcher ausländischen Persönlichkeit er als erster die Empfehlungen zur Kenntnis bringen wird, dank derer die geschlagene Bresche wieder geschlossen werden soll. Am 15. Februar 1962 trifft er in Baden-Baden einen Kanzler, der wieder einmal Verständnis zeigt. Doch das sollte nicht genügen.

Sie waren so betroffen von der Schwere des Rückschlags, daß sie beide zugleich nur einen Gedanken hatten: die Bande zwischen Frankreich und Deutschland müssen enger geknüpft werden. Allein die Festigung des Bündnisses der beiden Länder würde die Hoffnung eines neuen Beginns an dem Tag eröffnen, da sich die durch die Geburt Europas entfachten Streitigkeiten gelegt haben würden. Der Besuch Konrad Adenauers in Frankreich im Juli 1962 und die Reise Charles de Gaulles in die Bundesrepublik Deutschland im September des gleichen Jahres besiegelten hochgestimmt eine Aussöhnung, die im Vertrag vom 22. Januar 1963 ihren krönenden Abschluß fand. Als der Kanzler jedoch von der Verstimmung Nachricht erhielt, die in Washington über den Vertrag herrschte, setzte er nicht seine ganze Energie daran, die Annahme einer Präambel im Bundestag zu verhindern, die seine Tragweite verringerte. Vierzehn Jahre lang hatte seine Hauptsorge dem Bemühen gegolten, die Bundesrepublik Deutschland vor dem sowjetischen Vordringen zu schützen. Er bangte um sein Werk. Das Deutschland, dessen erster Architekt er gewesen war, konnte nur in Freiheit leben und gedeihen. Allein die Vereinigten Staaten garantierten ihm die Sicherheit, ohne die jene nicht denkbar war.

Wohl gab es keine Zweifel an der pro-westlichen Einstellung Konrad Adenauers, doch wäre er nicht einverstanden gewesen, als Gegner eines Europa zu gelten, das über die durch die Teilung der Welt und den Kalten Krieg erzwungenen Grenzen hinaus gereicht hätte. Im September 1955 fährt er auf Einladung der sowjetischen Führungsspitze aufgeschlossen und als aufmerksamer Zuhörer nach Moskau. Kurz zuvor war der österreichische Staatsvertrag unterzeichnet worden, dessen Inhalt einen über Nacht umgänglicher gewordenen Kreml vermuten ließ. Hegte Moskau etwa die Absicht, Bonn ein verlockendes Angebot zu machen? Das Ergebnis der Verhandlungen war zwar begrenzt, doch positiv. Adenauer sollte später stets seiner Genugtuung darüber Ausdruck verleihen, bewiesen zu haben, daß er guten Willens war, daß er, hätte nur die UdSSR ihm gewisse Perspektiven eröffnet, diese sehr wohl in Betracht gezogen und daß er sich, wie jeder Deutsche, ein größeres Deutschland in einem ausgesöhnten Europa gewünscht hätte. In der Furcht, die Wiedervereinigung könnte ihn bei seinem Werk unnötig stören, vermied er es, allzu oft an sie zu denken, allzu viel darüber zu reden. Berlin war das Symbol der Wiedervereinigung. Er war aufs höchste beunruhigt, sobald er die Stadt bedroht glaubte. Jedoch auch hier ließ er sich von seiner Umsicht leiten. Statt sich selbst zu exponieren, baute er darauf, daß die drei Westmächte ihre Rechte durchsetzen und die Freiheit der Berliner gewährleisten würden.

Sein Werk mußte unvollendet bleiben. Konrad Adenauer war weise genug, sich damit zu bescheiden. Gewiß, er hat Deutschland nicht wiedervereinigt, er hat es weder mit Polen noch mit der Tschechoslowakei ausgesöhnt. Seine Mission, die ihm im Westen so großes Ansehen eingetragen hatte, er hat sie im Osten nicht fortgeführt und vollendet. Zu jener Zeit wäre sein Ruhm daran zerbrochen, während man nun seine Mäßigung zu Recht preist.

Er ragt in der Geschichte auf wie ein Monument. Der Deutsche, der er war, hatte sich seiner Aufgabe würdig erwiesen. Sie war gewaltig. Sein Glaube an Europa ist nicht das geringste Juwel seiner Hinterlassenschaft. Aus dem düsteren Hintergrund der Zweifel und Streitigkeiten über und um Europa ragt seine Gestalt empor. Sein Licht wird nicht verlöschen.